JN270788

A Guide to Financial English

金融英語入門

柴田真一[著]
Shinichi Shibata

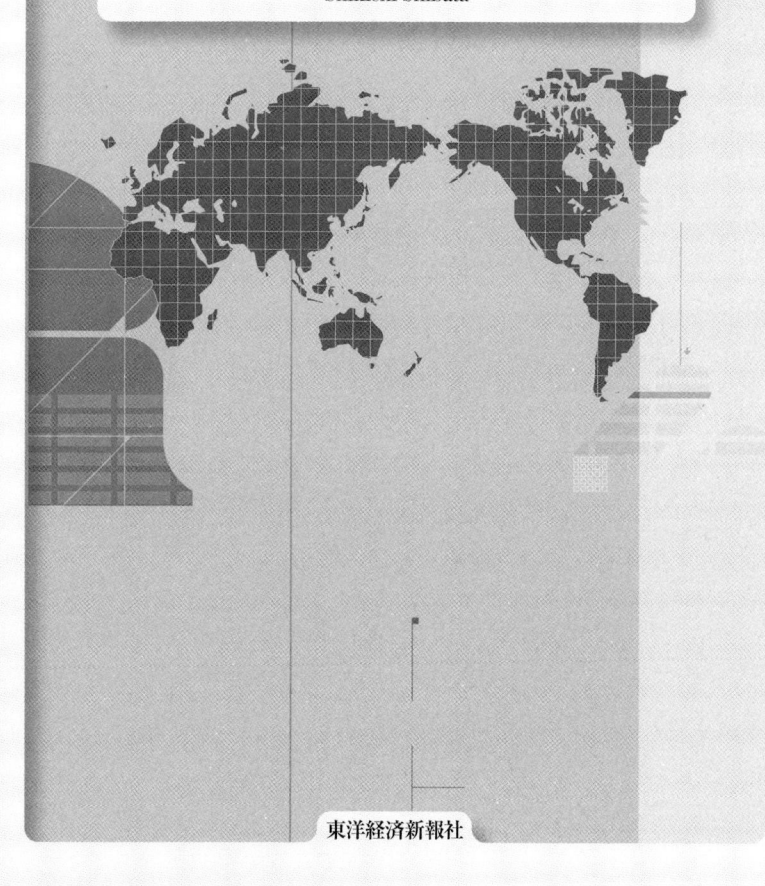

東洋経済新報社

はじめに

　この本を手にとっておられるみなさんは、何らかの理由があって金融英語を身につけたいとお考えだと思います。具体的には、

　　外国人と金融・経済について英語で話ができるようになりたい
　　国際金融・海外マーケットの分野で活躍したい
　　キャリアアップのために金融英語を身につけたい
　　金融英語の分野で翻訳・通訳をめざしたい
　　英語の幅を広げるために金融の分野にも挑戦してみたい

といった動機ではないでしょうか。金融英語を学ぶといっても、金融の知識をつけながら、専門的な英語も学んでいかなければならないのですから、口でいうほど簡単ではありませんね。みなさんのなかには、トライしたけど挫折したという方が結構いらっしゃるのではないかと思います。ここではまず、次の２つのことを考えてみたいと思います。

１．これから必要とされる金融英語とは何か

　ズバリ一言でいうと、「金融市場（マーケット）の英語」だと思います。ご存知のように、企業は、銀行からの借入れのみに頼らず、市場からの資金調達をめざしています。銀行貸出しですら、シンジケート・ローンなどの市場性貸出しが主流になりつつあります。また個人は、預金に加え、投信、株、債券などの商品に分散投資を行う時代です。
　このような流れのなかで、求められる金融英語も着実に変化しています。新聞の経済・金融関連記事、金融専門誌、アナリスト・レポート、株・債券発行にかかわる目論見書などを読みこなし、外国人と金融について語り合うには、海外送金や両替の英会話を身につけるだけでは、とても太刀打ちできません。

2．金融知識をどう習得していくか

　金融知識そのものも厄介な存在ですね。普段から新聞や本を読んで経済・金融に親しみなさいといわれても、どこから手をつけたらいいのか戸惑うことが多いのではないかと思います。また、マーケット業務関連の実務書は実務家向けのものが多く、読みこなすのに骨が折れます。雑学的なことも含め、まずはもっと広く浅く学ぶ方法を考える必要があります。

　そこで私が考えたのは、金融業務の知識をつけながら、同時に金融英語を学ぶ方法はないものか、ということです。そして、長年の海外勤務で身につけた金融英語と業務経験を、これを少しでも多くの方々に還元できないものかという想いから、2003年6月に「実践金融英語講座」ならびに「基礎編金融英語」のタイトルで、週刊メールマガジンとして発刊しました。本書は、多数の読者の方々からご好評をいただいた同メルマガをベースとし、さらに加筆し内容的にも充実させたものです。

　本書を貫くコンセプトは、「金融知識をバックにした実用性の高い金融英語の習得」です。

　私の経験では、外国語学習の原点は、文章構造を正しく分析したうえで内容を理解する読解力と、自分のいいたいことを表現する作文力を身につけることだと確信しています。読んで意味がわからないものは何度聞いてもわからないし、作文力がなければ中味のある話はできません。
　つまり、金融英語を実際に読み、書き、聞き、話すには、金融英語の専門用語集を覚えていったとしても、アウトプット可能な英語として身につくかどうか、疑問のように思えるのです。むしろ、用語（名詞）を覚えていくだけでなく、動詞、形容詞、副詞を絡めたさまざまな言い回しを覚え、表現力を豊かにしていく必要があるのではないでしょうか。
　このようなわけで、本書の構成は、単元ごとに、テーマ＋語彙→英文和

訳→英作文→ボキャブラリーの順となっています。まず必要最低限の知識・語彙を頭に入れたうえで、実際の文章に接し、復習の意味でボキャブラリーを再チェックしていくというスタイルです。内容は、金融市場で主要な地位を占める株式と債券に重点を置きながら、外国為替、M&A、シンジケート・ローンなど、幅広いテーマを網羅しています。また、英語については、実際にウォール街やロンドンの金融街シティで使われる実用性の高いものを厳選し、その背景をも含めて解説するよう配慮しました。要点を押さえながら、読み物としても興味が持て、知らず知らずのうちに金融と英語双方の知識が増えていくよう、工夫したつもりです。

巻末には、金融英語を操るのに不可欠と思われる表現100を厳選し、まとめておきました。さらに、補足資料として、金融機関一覧表、決算書、会社四季報、アニュアル・レポート、目論見書、シ・ローン条件提示の雛形を添付してありますので、必要に応じ活用してください。

本書の完成に至る過程においては、多くの方々のアドバイスをいただきました。特に、メルマガおよび出版を熱心に勧めてくださったポリグロット外国語研究所代表の猪浦道夫氏、そして、編集に際し細かいアドバイスをくださった東洋経済新報社の村瀬裕己氏と矢作知子氏に対し、この場を借りてお礼申し上げたいと思います。さらに、私を叱咤激励し、金融マンとしてここまで育ててくれた銀行の諸先輩、ならびに私を支えてくれた同僚に感謝したいと思います。

本書により、ひとりでも多くの読者の方が金融市場に親しみを持ち、金融英語の面白さを発見していただけるならば、筆者にとってこのうえない幸せです。

2004年6月　柴田　真一

はじめに

第1章 金融市場とその主要参加者 … 1

1-1 金融市場の概要 … 2

1 株式市場 … 2
2 債券（ボンド）市場 … 3
3 短期金融市場 … 4
4 外国為替市場 … 4
　◆基本翻訳演習 … 5
　◆基本英作文演習 … 6
　Coffee Break-1　ユーロという名の由来 … 9

1-2 投資家 … 10

1 投資家の概要 … 10
2 投資の尺度 … 10
　◆基本翻訳演習 … 12
　◆基本英作文演習 … 13

1-3 企業・事業会社 … 15

1 開示 … 15
2 調達手段 … 16
　◆基本翻訳演習 … 17
　◆基本英作文演習 … 18

1-4 金融機関 … 20

1 仲介者としての機能 … 20
2 投資銀行業務 … 20
　◆基本翻訳演習 … 21

◆基本英作文演習 ……………………………………………… 22

1-5 政府 ……………………………………………………… 24

1　財政政策 …………………………………………………… 24
2　金融政策 …………………………………………………… 24
　　◆基本翻訳演習 ……………………………………………… 26
　　◆基本英作文演習 …………………………………………… 28
　　Coffee Break-2 連邦準備制度 ……………………………… 30

第2章 株式
31

2-1 株式の特徴と種類 …………………………………… 32

1　株式の特徴 ………………………………………………… 32
2　株主の権利・株式の種類 ………………………………… 33
　　◆基本翻訳演習 ……………………………………………… 34
　　◆基本英作文演習 …………………………………………… 35

2-2 株価の変動要因、株の投資尺度、株式指数 ……… 38

1　株価の変動要因 …………………………………………… 38
2　株の投資尺度 ……………………………………………… 39
3　株式指数 …………………………………………………… 40
　　◆基本翻訳演習 ……………………………………………… 41
　　◆基本英作文演習 …………………………………………… 42

2-3 相場にかかわる英語表現 …………………………… 44

1　日々の相場の上下にかかわる表現 ……………………… 44
2　市場心理に関する表現 …………………………………… 46
　　◆基本翻訳演習 ……………………………………………… 48

　　　　　◆基本英作文演習 ……………………………………………………49
　　　　Coffee Break-3　米英の主要経済指標 ………………………………50

2-4　株式公開 …………………………………………………………52

1　企業からみた株式公開 ……………………………………………52
2　株式市場からみた新規上場株 ……………………………………52
3　株式公開への道 ……………………………………………………53
4　公開直前の準備 ……………………………………………………54
　　◆基本翻訳演習 ……………………………………………………54
　　◆基本英作文演習 …………………………………………………55

第3章　債券　59

3-1　債券の特徴と種類、価格と利回り ……………………60

1　債券の特徴 …………………………………………………………60
2　債券の分類 …………………………………………………………60
3　債券の価格 …………………………………………………………62
4　債券の価格と利回りの関係 ………………………………………62
　　◆基本翻訳演習 ……………………………………………………64
　　◆基本英作文演習 …………………………………………………65

3-2　債券と金利 ………………………………………………………67

1　長期金利の決定要因 ………………………………………………67
2　イールド・カーブ（利回り曲線） ………………………………68
　　◆基本翻訳演習 ……………………………………………………70
　　◆基本英作文演習 …………………………………………………71

3-3 債券（ボンド）による資金調達 ……………………73

1 主幹事獲得までの道程 ……………………………73
2 起債準備 ……………………………………………74
3 ローンチ、調印、払込み …………………………75
　◆基本翻訳演習 …………………………………75
　◆基本英作文演習 ………………………………77
　 Coffee Break-4 　ザ・バンク ……………………79

3-4 格付け ………………………………………………81

1 格付けとは …………………………………………81
2 格付けの表示方法 …………………………………82
　◆基本翻訳演習 …………………………………84
　◆基本英作文演習 ………………………………85

第4章 その他 …………………………………………87

4-1 短期金融市場 ………………………………………88

1 短期金融市場とは …………………………………88
2 金利 …………………………………………………89
　◆基本翻訳演習 …………………………………90
　◆基本英作文演習 ………………………………91

4-2 外国為替市場 ………………………………………94

1 外国為替市場とは …………………………………94
2 表示方法、種類、主要通貨の呼び方 ……………94
3 為替相場の変動要因 ………………………………96
　◆基本翻訳演習 …………………………………98

◆基本英作文演習 ……………………………………………………… 99

4-3 ユーロ（欧州統一通貨） …………………………………… 101
1 ユーロ参加国 ……………………………………………………… 101
2 ユーロ導入のプロセス …………………………………………… 101
3 ユーロシステムと欧州中央銀行制度 …………………………… 103
4 通貨統合のメリット ……………………………………………… 104
5 今後の課題 ………………………………………………………… 104
◆基本翻訳演習 ……………………………………………………… 104
◆基本英作文演習 …………………………………………………… 106
Coffee Break-5 ユーロ不参加国 ……………………………… 108

4-4 シンジケート・ローン ……………………………………… 110
1 シンジケート・ローンとは ……………………………………… 110
2 組成のプロセス …………………………………………………… 110
3 契約書について …………………………………………………… 112
◆基本翻訳演習 ……………………………………………………… 114
◆基本英作文演習 …………………………………………………… 115

4-5 M&A ……………………………………………………………… 118
1 M&Aとは ………………………………………………………… 118
2 M&Aのプロセス ………………………………………………… 120
◆基本翻訳演習 ……………………………………………………… 121
◆基本英作文演習 …………………………………………………… 122

4-6 ユーロ市場 ……………………………………………………… 124
1 ユーロ市場の歩み ………………………………………………… 124
2 今後の展開 ………………………………………………………… 126
◆基本翻訳演習 ……………………………………………………… 126
◆基本英作文演習 …………………………………………………… 128

付録　金融英語　表現力増強ボキャブラリー100 ……… 131

資　料

| 資料1 | わが国の金融機関一覧 …………………………………………… 146
| 資料2 | 米国の金融機関 …………………………………………………… 147
| 資料3 | 英国の金融機関 …………………………………………………… 148
| 資料4 | P&L, B/S 英和対照表 …………………………………………… 149
| 資料5 | *Japan Company Handbook*
         （英文会社四季報）に掲載されるような一般情報 ………… 150
| 資料6 | アニュアル・レポートの基本構成 ……………………………… 152
| 資料7 | 目論見書の基本構成 ……………………………………………… 153
| 資料8 | シンジケート・ローン提案書事例 ……………………………… 154

参考文献 …………………………………………………………………… 158

略語一覧 …………………………………………………………………… 159

和文索引 …………………………………………………………………… 161
英文索引 …………………………………………………………………… 167

第 **1** 章

金融市場とその主要参加者

　金融の世界でマーケット（市場）といった場合、株式市場のような取引の場が常に存在するわけではなく、市場参加者がコンピュータ回線で結ばれ、決済機関を通してお金のやりとりをする市場もたくさんあります。本章では、まず、主要な金融市場を概観し、全体像をつかんだうえで、主な市場参加者である投資家、事業会社、金融機関、政府の役割について、順を追ってみていきます。

　金融市場という舞台で、登場人物が、どのような役を演じているのかを理解し、それに関する単語や基本表現を理解しておくことは、生きた金融英語を操るうえでの大前提となりますので、しっかり足場を築いてください。

1-1 金融市場（financial markets）の概要

それではまず、これからみなさんをお連れする市場（マーケット）とは一体どんなところなのか、ちょっと覗いてみましょう。本書では、主に下記の4つの市場を取り上げます。

1 株式市場（stock markets、equity markets）

みなさんにとってイメージが湧きやすい証券取引所（stock exchanges）を中心とする市場です。時価総額（market capitalization、略して market cap．各銘柄の株価にその上場株式数を乗じたものの合計）でみた横綱はニューヨーク証券取引所ですが、下記四大市場を押さえておきましょう。

(1) ニューヨーク証券取引所（New York Stock Exchange：NYSE，愛称 the Big Board）

世界経済の象徴ともいえる市場。世界の主要取引所がコンピュータ化を進めるなか、公正な価格を出すには open outcry system（立会場システム）が最適との信念に基づき、立会場を設け、フロアーブローカーを配しています。1999年3月以前の東証もそうでしたが、個人的には、やはり「場立ち」と呼ばれる人たちがいた方が、活気があって好きです。ちょっと古いですが、映画『ウォール街』（1987年、マイケル・ダグラス、チャーリー・シーン共演）をご覧になると、雰囲気が手にとるようにわかります。

(2) ナスダック（National Association of Securities Dealers Automated Quotation：Nasdaq）

NYSE に対抗すべく完全にコンピュータ化された市場として生まれ、今では NYSE を脅かす存在。NYSE には伝統ある old economy stocks と呼

ばれる企業が中心なのに対し、Nasdaqは若いハイテク企業のnew economy stocksを核とする市場です。ナスダックがMicrosoft、Apple、Intelなどの産みの親であることが、その証拠ですね。その分、ハイテク株の値動きに左右されるという局面もあり、ITブーム（dotcom boom）の終焉にともない相場が急落したのは、記憶に新しいところです。

(3) 東京証券取引所（東証 Tokyo Stock Exchange：TSE）

第1部、第2部に加え、新興企業向けのマザーズをも有する厚みのある市場で、Nasdaqと時価総額第2位の座を争っています。上場会社の四半期財務情報の開示を進めるなど、グローバル・スタンダードに照準を合わせた施策を講じています。とにかく、日の丸を背負うわが国の代表選手として、引き続きがんばって欲しいものです。

(4) ロンドン証券取引所（London Stock Exchange：LSE）

ロンドンの金融街シティ（the City）の中心に位置する取引所。規模こそ東証にやや劣るものの、上場企業の国籍の数は60カ国を上回る、国際色豊かな市場。世界の外国株の5割以上がLSEで取引されています。

2 債券（ボンド）市場（bond markets）

株式市場のような取引所がないのでイメージしにくいと思いますが、主要国にはそれぞれの国債市場や社債市場などが存在します。国債・社債市場ともに圧倒的な地位を占めているのは米国市場です。米国財務省が発行する国債（US Treasurys/Treasuries）は、世界中の多様な投資家によって売買されています。社債についても、年金基金、保険会社、投資信託等の機関投資家層を背景とした厚みのある市場が形成されています。代表的な国際債券市場としては、ユーロボンド市場（Eurobond markets）があります。同市場の中心はロンドンですが、国境を超え、世界の主要市場に広がる市場です。非居住者間で自由な取引を行う市場という意味で、一種のオフショア市場（offshore markets）ということができます。

上記の株式・債券市場を合わせたのが、いわゆる証券市場（securities markets）です。1年を超える（中）長期資金（capital）を調達する（raise）場であることから、長期金融市場、資本市場（capital markets）とも呼ばれています。この場合の資本は、株主が出資した資本金（paid-in capital）に加え、外部借入債務（external debt）も含む概念です。

3　短期金融市場（money markets）

　（中）長期（1年超：long-term）を取り扱う資本市場に対し、短期金融市場は、銀行、企業などが短期的に貸借を行い、資金を融通し合う短期（1年以内：short-term）の市場です。預金や公社債、コマーシャル・ペーパーなどの短期金融商品を扱っています。また、政府・政府機関が銀行業界全体の流動性確保に支障がないかどうかをウォッチし、ダムの水量を調節するごとく、金融政策の一環として流通量を調整しています。以上をまとめると、下記のようになります。

- （中*）長期資金（1年超）　⇒　資本市場（capital markets）　─┬─ 株式市場（stock/equity markets）
　　　　　　　　　　　　　　　　　　　　　　　　　　　　　　　　└─ 債券市場（bond markets）
- 短期資金（1年以内）　⇒　短期金融市場（money markets）

＊中期（medium-term）といった場合、通常1年超、5〜7年迄を指します。

4　外国為替市場（foreign exchange markets、略して forex markets）

　外国為替を取り扱うコンピュータ・電話で結ばれた市場。以前は、ブローカー（仲介業者）を通してオーダーを出したり、直取引といって金融機関同士が直接売買をしたりしていましたが、現在は電子ブローキングが主流です。市場規模も巨大で、実体経済に与える影響は甚大です。

最後に、重要な概念を1つ。資本市場、すなわち株式市場と債券市場は、発行する（issue）市場と売買する（trade）市場に分かれ、それぞれ発行市場（primary markets）、流通市場（secondary markets）と呼ばれています。

- 発行市場（プライマリー市場）：企業や国が、新規に株や債券を発行し、資金調達を行う市場
- 流通市場（セカンダリー市場）：既に発行済みの株や債券を、投資家が売買する市場

それぞれ、自動車の新車、中古車市場をイメージするとわかりやすいですね。

基本翻訳演習

【問題】

The existence of the secondary market is considered to be essential for the primary market. The more liquid the secondary market is, the easier it should be to raise capital in the primary market.

【単語と解説】

＊liquid（形）　流動性がある、つまり売りたいときにすぐ売れるということ。名詞は liquidity。反対は illiquid（形）。
＊raise capital　資本を調達する（資本調達＝capital raising）。

　発行市場と流通市場の関係について書かれたものです。筆者には、マーケット業務駆け出しの頃、上司から「プライマリーとセカンダリーはどちらが重要だと思う」と聞かれ、迷わずプライマリーと答えたところ、「おまえは全然わかっていない」と怒鳴られた苦い経験があります。この意味するところについ

ては追ってみていきますが、将来中古車市場で売却する目処がたたなければ、安心して新車を買うことができないのと同じ、と理解しておいてください。

【解答例】
　流通市場は、発行市場にとって不可欠の存在と考えられる。流通市場の流動性が高いほど、発行市場における資金調達が容易になるはずである。

基本英作文演習

【問題】
1．東京証券取引所は、世界第2位の株式市場の地位を築いた。
2．市場規模は、初めて1,000億ドルの大台に乗った。
3．ユーロ・カレンシーとは、通貨の使用国以外で保有される通貨のことである。
4．ユーロ市場とは、市場参加者がユーロ・カレンシーの貸借を行う市場のことをいう。

【解答例と解説】
1．Tokyo Stock Exchange solidified its position as the second largest stock market in the world.
　「地位を築く」は establish を使うのが素直ですが、solidify its position も覚えておくと便利です。solidify は solid（固い）の動詞ですから、「地位を確固たるものにする」というニュアンスが強まります。

2．The market size has reached the 100 billion dollar mark for the first time.
　「大台＝the＋金額＋mark」という言い回しがポイントです。たとえば、日経平均が一瞬1万円台に乗った場合には、touch the 10,000 yen mark などといいます。また、「乗る」は reach のほかに、cross over も可。
　また、数字については、特に億の単位が間違えやすいので注意が必要です。1億＝100 million、10億＝1 billion、100億＝10 billion、1,000億＝100 billion。1兆からは日英で言い方がそろうので楽です（1兆＝1 trillion）。

mark が出たところで、ついでに landmark についても触れておきましょう。landmark は、横浜のランドマークのように「目印、目安」の意ですが、金融では「節目」という意味で使われます。なお、指標という意味の benchmark が同義で使われることもあります。

［例］The Dow Jones has reached the landmark/benchmark level of 10,000.
（ダウ平均は、節目ともいえる1万ドルに達した）

なお、landmark と benchmark の間の"/"は、前後のどちらの表現（この場合、landmark と benchmark）を使っても良いという意味です。

3．Eurocurrency is a currency held outside its country of origin.

通貨使用国以外に預けられた通貨を、ユーロ○○といいます。たとえば、三井住友銀行本店のドル預金はユーロドル（Eurodollar）、バークレー銀行ロンドン本店の円預金はユーロ円（Euroyen）です。

4．The Euromarket is a market in which players lend and borrow Eurocurrencies.

前述のユーロ・カレンシーと同様の言い回しです。債券市場は the Eurobond market、ドル債は Eurodollar bond といった具合です。

必須ボキャブラリー

・短期金融市場（money markets）⇔ 資本市場（capital markets）
・短期（short-term）⇔ 長期（long-term）、中期（medium-term）
・株式市場（stock/equity markets）⇔ 債券市場（bond markets）
・外国為替市場（foreign exchange markets、略して forex markets）
・発行市場（primary markets）⇔ 流通市場（secondary markets）
・オフショア市場（offshore markets）⇔ オンショア市場（onshore markets）
・ユーロ・カレンシー（Eurocurrency）、ユーロ市場（Euromarket）
・ニューヨーク証券取引所（New York Stock Exchange：NYSE、愛称 the Big Board）

- ナスダック（Nasdaq）
- 東京証券取引所（Tokyo Stock Exchange：TSE）
- ロンドン証券取引所（London Stock Exchange：LSE）
- 時価総額（market capitalization/〈英〉capitalisation、略して market cap.）
- 流動性（liquidity）、流動性の高い（liquid）　⇔　流動性の低い（illiquid）
- 資本調達（capital raising）、資本を調達する（raise capital）
- 大台（mark）、節目（landmark/benchmark）

ユーロという名の由来

　米ソ冷戦時代、ニューヨークの銀行に預けたドル預金の凍結を恐れたソ連は、欧州の銀行に預金を移すという手段を講じましたが、その後も貿易決済にドルが必要だったため、ソ連系の銀行 Banque Commerciale pour l'Europe du Nord で資金の出し入れを行いました。この銀行のテレックス・コードが Eurobank だったことから、ユーロドル Eurodollar（E は通常大文字）と呼ばれました。それ以降、通貨使用国以外に預けられた通貨は、ユーロ○○と呼ばれるようになったといわれています。この経緯からわかるように、ユーロというのはヨーロッパという意味ではありません。したがって、香港やシンガポールにあるドルも、正真正銘のユーロドルです。

　ところで、1999年に欧州統一通貨（the single currency）のユーロ（euro：e は通常小文字）が誕生してからは、非常に紛らわしくなりました。原則は、ユーロ市場は the Euromarket、ユーロ建て（通貨）市場は the euro market です。使用国以外に預けられたユーロ建て預金はユーロ・ユーロ Euro-euros。たとえば、「ABC 社はユーロ建て（通貨）のユーロボンド（ユーロ・ユーロ債）を発行した」というのは、ABC Co. issued a Euro-euro bond. あるいは、ABC Co. issued a Eurobond in euros. のように表現します。

　ユーロ市場（Euro）か通貨（euro）かは、出だしが大文字か小文字かで区別がつくはずなのですが、それほど厳密に守られているわけではないので、経験則からいうと、最終的には文脈から判断するのが無難だと思います。

1-2 投資家（investors）

　これから、市場の四人組ともいえる投資家、事業法人、金融機関、政府を順番にみていきます。トップバッターは市場のプリマドンナともいえる投資家です。

1 投資家の概要

　まず、投資家は個人投資家（retail investors）と機関投資家（institutional investors）に分かれます。個人の動向は、全体として、預金、株式、投資信託等の大きな流れを作っていく原動力となります。一方、いわゆる生損保、金融機関、年金基金、政府などの機関投資家は巨額の資金を動かしていて、ポートフォリオ（portfolio：所有有価証券の一覧表）をバランスよく、貸出金、債券、株式などに割り振り（allocate）、マーケット状況をにらみながら、中身を常時入れ替えたり（switch）、資産ごとのパフォーマンスが異なるために定期的に比重を調整したり（rebalancing）します。このような大きな資金の流れをとらえることは、マーケットをみるうえで不可欠です。マーケットの動きを読むということは、突き詰めると、お金の流れ（流出・流入：outflow/inflow）を把握することにほかならないからです。

2 投資の尺度

（1）金利・配当収入（income gain）

　貸出金（預金）、ローンには、投資の対価として利息（interest）がありますが、まずはこの利息金利が最大の関心事です。債券（bond）ではクーポン（coupon）といいます。株の場合は、業績にもよりますが、通常は配当（dividend）がありますね。このような金利・配当収入をインカム・ゲインといって、投資額に対するリターン（収益：return）を利回り

(yield) で表します。

（2） 譲渡益・損（capital gain/loss）

債券や株は価格そのものが変動しますね。これをキャピタル・ゲイン（ロス）といいます。そして、利回り（yield）とキャピタル・ゲイン（ロス）の合計を総合利回り（overall return）といいます。

　　［例］100円の株を購入、配当金は5円、110円に値上がり
　　　　　＝yield は5％、overall return は 5 ＋10＝15％

（3） 流動性（liquidity）

換金できるスピード、つまり売りたいときにすぐ売れるかということです。特に、市場が悪化したときは、処理できなくなると大変なので、質への逃避（flight to quality）といって、格付けと流動性が高い国債などの安全な避難所（safe haven：セーフ・ヘイブン。天国の heaven ではありません！　ちなみに、法人税や利子・配当課税が低い国・地域を指すタックス・ヘイブンも、同様に tax haven）にスイッチする現象が起こることがあります。

したがって、流動性が低い場合は、利回りを高くし、デメリットを補完します。定期預金に普通預金より高い利息がつく理由は、換金性、つまり流動性にあるのです。つまり Lesser liquidity demands greater reward.

（4） 時間価値（time value）

期間が長いほどお金を拘束される時間が長いわけですから、利回りが上がっていかないと投資の意味が薄れるので、原則長いほど利回りが高くなります。定期預金も、通常の金利環境では、期間が長いほど利息が高いですね。まさに、Time is money.

このような尺度をもとに、機関投資家は、信用リスク（credit risk）、金

利リスク（interest rate risk）、為替リスク（foreign exchange risk）などのリスクを見極めながら、ポートフォリオの資産配分（asset allocation）を検討し、リスクの軽減を図るために分散投資（diversification）を行います。つまり、「許容し得るリスクを最大限とりながら、手元資金を効率よく運用し、最大のリターン（return）をあげる」という目標に向かっていくのです。一方、事業会社などの調達サイドは、投資家のニーズ（investor demand/appetite）に合うような商品を提供することが求められるわけです。

基本翻訳演習

【問題】

Some fund managers have started trimming their equity holdings, as the rally began to stall. There is a growing view that fundamentals fail to justify the recent surge. Some strategists think that it is time to pull back from the market, at least over the near term.

【単語と解説】

* fund manager　ファンドマネージャー。投資信託などの運用担当責任者。
* trim　整頓する。ポートフォリオにおける同資産の残高を減らして身軽にすること。
* rally　（相場の）上昇。
* stall　失速する。
* fundamentals　経済の基礎的条件（経済のマクロ面あるいは個別企業の財務状況などのミクロ面についての指標）。
* surge　（相場の）急上昇。
* strategist　ストラテジスト。アナリスト（analyst）が銘柄や市場のリスク分析を行うのに対し、ストラテジストは、マーケット動向をみながら運用戦略を考えます。

簡単にいうと、株式が上昇し過ぎたので残高を減らしておこうということ。投資家は、リスク・リターンをにらみながら割高なものを手放し、割安なものに入れ替えていくわけです。

【解答例】
　相場の上昇が一服し始めたことから、株式の保有残高を落とそうとするファンドマネージャーが出てきた。ファンダメンタルズから考えて、最近の相場の急上昇は正当化しにくいとの見方が広がりつつある。ストラテジストのなかには、少なくとも当面は静観すべき時期にあると考える人がいる。

基本英作文演習

【問題】
1．投資家はリスクに対し慎重である。
2．投資家は利益を確定させようと必死である。
3．その投資信託（ファンド）は、米国資産への運用比率が高い。
4．投資家は、利回りアップとなる商品を探している。

【解答例と解説】
1．Investors are risk-averse.
　「慎重であり」は are reluctant to take risks や are cautious in taking risks でもまったく構いませんが、risk-averse（名詞 risk-aversion）も是非覚えてください。また、「リスク愛好的（risk-loving）」、「リスク中立的（risk-neutral）」もあわせて覚えましょう。

2．Investors are desperate to lock in profits／lock profits in.
　マーケットが荒れているときなどは、とりあえずできるものは手仕舞っておこうというのが人間の心理でしょう。lock in という言い回しは感じが出ていますね。また、cash-in（現金化する）も OK です。European investors cash-in on yesterday's gains. といえば、昨日上がったので今日はひとまず売って利益を確定しておこうという動きですね。

３．The fund has a large exposure to US assets.

　exposure とは、ある商品に対しどれだけ投資しているかを表します。銀行では与信(よしん)といって、信用供与額（どれだけ信用を与えているか）という見方をします。前置詞は to を使います。

４．Investors are on the hunt for yield pick-up.

　少しでも運用利回りを上げようというときは、pick-up や yield enhancement と使います。この pick-up は、マーケットでは上昇、改善の意味でもよく使います。［例］The market sentiment has picked up.

必須ボキャブラリー

- 個人投資家（retail investors）⇔ 機関投資家（institutional investors）
- （資金）流出（capital outflow）⇔ 流入（capital inflow）
- 金利・配当収入（income gain）⇔ 譲渡益・損（capital gain/loss）
- 利回り（yield、return）
- ファンドマネージャー（fund manager）、ストラテジスト（strategist）、アナリスト（analyst）
- ポートフォリオ（portfolio）
- エクスポージャー（exposure）
- リスク（risk）⇔ リターン（return）
- 資産配分（asset allocation）、分散投資（diversification）
- 信用リスク（credit risk）、金利リスク（interest rate risk）、為替リスク（foreign exchange risk）
- 投資家需要（investor appetite/demand）
- 経済の基礎的条件（fundamentals）
- （相場の）上昇（rally）、急上昇（surge）
- リスク回避（risk-aversion　形容詞 risk-averse）
- 質への逃避（flight to quality）、（資金の）緊急避難所（safe haven）（cf. タックス・ヘイブン：tax haven）
- 利回り向上（yield pick-up/enhancement）

1-3 企業・事業会社（Companies）

　企業にとって、運転資金や工場建設のための設備資金をいかに安く、安定的に、効率よく調達していくかは、永遠の課題です。それでは、企業のボロワー（発行体：borrowers/issuers）としての側面をみていきましょう。

1 開示（disclosure）

　事業会社は、株式会社である以上、株主に対し決算書（financial statements あるいは accounts）を開示（disclose）する義務を負います。重要なのは以下の3点セットです（損益計算書と貸借対照表については、巻末資料4を参照）。

- 損益計算書（P&L、P/L：income statement/〈英〉profit and loss statement）
  事業・営業年度（fiscal year/〈英〉financial year）の企業業績、つまり、その期間の商売がうまくいっているかどうかを示した成績表

- 貸借対照表（B/S：balance sheet）
  決算期（fiscal year end）時点での財産状況を示す健康診断書

- キャッシュフロー表（cash flow statement）
  損益計算書、貸借対照表では把握しにくい金銭の流れを表す表

　上場会社ともなると、企業の活動・財務状況を年次報告書（annual report、巻末資料6）という形でまとめるほか、決算発表直後に投資家やアナリストを集めて会社説明会（IR meeting）を開いたりします。このような企

業広報活動（IR：investor relations）を通じ、少しでも株価や格付けに好影響を与え、資金調達にも有利に働くよう努力するわけです。

2 調達手段

事業会社の資金調達方法を大別すると、デット・ファイナンスとエクイティ・ファイナンスに分かれます。デットとエクイティの概念はきわめて重要ですので、まずは基本を押さえておきましょう。

(1) デット・ファイナンス（debt finance）

デットとは債務、つまり返さなくてはならない借金のことで、銀行借入れ、債券（ボンド）などの形態があります。たとえば、ボンドの場合、発行会社には償還義務が生じますが、逆に投資家サイドからみると償還リスクを負うことになります。最近では、アルゼンチンのサムライ債がデフォルト（債務不履行）となった例などがありますね。この償還リスクを分析したのが、いわゆる格付け機関の債券格付です。

(2) エクイティ・ファイナンス（equity finance）

新株の発行をともなうファイナンスの総称。転換社債、ワラント債などは、株式に転換可能な社債であり、株式と社債の中間的な性格を持つものですが、これらの株絡みの調達も含む概念です。債務ではなく資本（エクイティ）であるため返済の必要がありません。返済不要ならその方が得だという単純な話ではなく、株の希薄化（dilution、発行株式数が多くなることにより1株あたりの利益が薄まること）による株価下落リスクなどを考慮に入れ、他の商品と比較検討します。

企業の財務担当者は、マーケット動向をにらみながら、調達の手法、タイミングなど、中長期にわたる財務戦略を検討することになります。

基本翻訳演習

【問題】

Investors are still going into the corporate bond market despite the recent spread tightening. As a result, the market has been blooming with new transactions as borrowers move quickly to take advantage of optimistic issuance conditions.

【単語と解説】

＊spread tightening　スプレッドのタイト化（縮小）。スプレッドとは一般的に売値と買値の価格差のことですが、ボンドについて使用する場合は、ボンドと国債との利回り差（詳しくは第3章「債券」で取り上げます）。
＊bloom with　開花する、つまり活況を呈すること。

　投資家の積極的な買い→（流通）市場における利回り低下→発行体にとって有利な（債券を発行する）環境→起債を急ぐ発行体が相次ぎ、発行市場は活況、ということです。

　以前プライマリーを新車、セカンダリーを中古車市場にたとえましたが、車とボンドの違うところは、車は価値が年々下がるのに対し、債券はそれがないということです。たとえば、新規に発行される3年物の債券は、セカンダリー市場における残存期間3年（償還まで残り3年）の債券の価格とほぼ同じレベルとなります。もし利回りが大きく異なる場合、投資家は片方（高い方）を売り、もう一方（安い方）を買うという行動に出るからです。

　言い換えると、新規発行する債券の価格は、流通市場での価格を参考に決定していきます。「流通市場あっての発行市場」ということなのです。

【解答例】

　投資家は、最近の利回り低下傾向にもかかわらず（スプレッドのタイト化にもかかわらず）、引き続き社債市場に投資している。ボロワー（発行体）が現在の良好な起債条件を生かそうと迅速に動いた結果、発行市場は新規発行で活況を呈している。

基本英作文演習

【問題】
1．株主には、決算書を受け取る権利がある。
2．ダイムラー・ワーゲン社は、日本における債券発行にかかわる投資家向け説明会を行う予定である。
3．東洋電力は、ユーロ市場で（自社として）初の起債を行った。
4．トーマス・クッキングは、米国市場では常連のボロワー（frequent borrower）だ。

【解答例と解説】
1．Shareholders are entitled to receive financial statements.
　「権利がある」は have their right to... でも結構ですが、ちょっと語気が強くなるので、entitled to... が自然かつ上品だと思います。

2．DaimlerWagen will be roadshowing for the forthcoming bond issue in Japan.
　決算発表後の会社説明会は IR meeting といいますが、株や債券発行に際して行う投資家向け説明会はロードショー（roadshow）と呼ばれています。ロードショーといえば公開映画をイメージしますが、new issue にとってのお披露目の場なわけですね。
　roadshow は通常名詞として Extensive roadshows have been arranged. のように使われることが多いですが、動詞としても定着しています。タクシーに乗るのを「タクる」というようなノリですね。ちなみに、大勢の人を集めて行う説明会に対し、個々の投資家と個別に行うミーティングを one-on-one（one-to-one）meeting といいます。

3．Toyo Electric Power tapped the Eurobond market for the first time.
　新規発行する場合、tap（タップ＝軽く叩く。タップダンスの tap）という単語がよく使われます。
　TEP made its first foray/appearance in the Eurobond market. ということもで

きます。

なお、ボロワーとしてある市場で初登場の銘柄は、debut/inaugural issue と呼ばれます。

4．Thomas Cooking is a frequent borrower in the US market.

起債頻度によって、frequent（頻繁に発行する）、infrequent（不定期にしか発行しない）、opportunistic（条件があえば発行する）、rare（滅多に発行しない）等の形容詞がつきます。opportunistic borrower というのは、定期的に調達するわけではないが、発行条件が整えば起債するボロワーのことで、文字通り「opportunity（機会）があれば」ということです。

また、frequent borrower のうち、大型の起債を行い、それがマーケットの指標（ベンチマーク）となるような発行体を benchmark issuer といいます。

必須ボキャブラリー

- ボロワー（issuer/borrower）、常連のボロワー（frequent borrower）
- 開示（disclosure）、開示する（disclose）
- 決算書（financial statements あるいは accounts）
- 損益計算書（P&L：income statement/〈英〉profit and loss statement）
- 貸借対照表（B/S：balance sheet）
- キャッシュフロー表（cash flow statement）
- 事業・営業年度（fiscal year/〈英〉financial year）、決算期（fiscal year end）
- 年次報告書（annual report）
- 企業広報活動（IR：investor relations）
- 会社説明会（IR meeting）、投資家向け説明会（roadshow）
- 個別ミーティング（one-on-one/one-to-one meeting）
- デット・ファイナンス（debt finance）⇔ エクイティ・ファイナンス（equity finance）
- 指標（銘柄）（benchmark）
- 初回（デビュー）発行（debut/inaugural issue）

1-4 金融機関 (financial institutions)

　金融機関は投資家としても巨大な存在ですが、ここでは銀行・証券会社などの原点ともいえる役割について、市場の観点から考えていきましょう（日・米・英の金融機関の種類については巻末資料1～3参照）。

1 仲介者（middle-men）としての機能

　マーケットにおける銀行・証券会社などの金融機関は、ボロワー（発行体：borrowers/issuers）と投資家（investors）の仲介役としての役割を果たしています。プライマリー市場では、ボロワーの新規調達を助ける商品を仕立て、投資家に提供します。また、セカンダリー市場では、値づけ（market making）といって、発行済みの商品が円滑に売買できるよう、（金融機関としての）買値（bid/buying price）と売値（offer/selling price）を呈示（quote）し、その価格なら注文に応じるべく努力します。

　預金・貸出業務を中心とした商業銀行業務（commercial banking）に対し、こうした資本市場からの資金調達手段の提供、また企業買収（M&A）のアドバイスなどは、投資銀行業務（investment banking）と呼ばれます。わが国でいうと、前者が銀行、後者が証券会社のイメージです。

　これとは別に、ホールセール・バンキング（wholesale banking）とリテール・バンキング（retail banking）という分類の仕方があります。これは、顧客の対象による区分で、前者は大企業を中心とした企業取引を核に据えているのに対し、後者は個人をターゲットにした銀行経営のことです。

2 投資銀行業務（investment banking）

　投資銀行業務には、商品開発の高度なノウハウに加え、商品が万が一売れ残った場合でも残額を自分で買い取る引受け（underwriting）という行

為が生じるので、必然的に資本力が問われることになります。投資銀行業務のトップ・プレーヤーの仲間入りを果たすための critical mass（臨界質量。物理用語で、原子炉で核爆発が持続的に進行し始める境目のこと。金融の世界では、ある業務においてそれなりのステータスを確保するのに最低必要とされる人・物・金を指します）は相当高いといえます。その代わり、その対価としての収益は a fairly hefty profit margin の可能性も秘めているので、この risky だが glamorous な魅力に惹かれ、多くの金融機関が市場で競合しています。ただし、リーグテーブル（league table）という取扱高のランクも、メーカーにとってのシェア争い同様、ステータスを示すものとして重要視されているので、ときには収益に目をつぶることも必要です。収益と実績作りのバランスの舵取りは容易ではありませんね。したがって、真のグローバル・プレーヤーといえるのは、大手（first-tier/top-tier）金融機関の一握りであることは、みなさんもご存知のとおりです。

一方、League tables are irrelevant.と割り切り、得意分野を生かしたニッチ・プレーヤー（niche player）としてステータスを確保している業者もたくさんいます。

基本翻訳演習

【問題】

In the late 1990s, many banks and security firms poured resources into investment banking area. When the bull-run slowed down after the dotcom boom, most of them found themselves trapped between the overheads of a global network and the revenue of second-tier players.

【単語と解説】

＊bull-run　bull（ブル：強気）。反対は bear（ベア：弱気）。ブル・ベアの語源については諸説ありますが、敵を攻撃する際に、雄牛は角を上向きにし、熊

は指先を下に向けることに由来すると言われています。
* (be) trapped between A and B　AとBの板挟み状態になる。
* overheads　（会計用語）間接費用。平たくいうと、経費のこと。
* second-tier　準大手の。second-class（二流の）とは違いますよ！

　スケールメリット（economies/merit of scale。ちなみに scale merit とはいいません）を追求したが、中途半端に終わったという内容です。投資銀行業務の難しさを物語っていますね。

【解答例】
　1990年代の後期には、多くの銀行や証券会社が投資銀行部門に資源をつぎ込んだ。相場の上昇局面が IT ブームの後減速したとき、彼らのほとんどは、世界中に張った拠点の間接費用がかさむ反面、準大手程度の収益しか得られないといった板挟み状態にはまっていた。

基本英作文演習

【問題】
1．野村山証券は、ユーロ市場にて強固な地位を確立している。
2．日興モルガン証券は、株式公開業務を拡充する手段を講じた。
3．UFG ウィング証券は、マーケット経験の豊富なクレジットアナリストを採用した。
4．競争激化により、多数の投資銀行が株式業務からの撤退を余儀なくされた。

【解答例と解説】
1．Nomurayama Securities is strongly positioned in the Euromarkets.
　「確立している」は well-established でもいいです。ちなみに、もし「圧倒的な地位」であれば、Nomurayama stands out in...や、Nomurayama has an unrivaled（〈英〉unrivalled）position in...のように、stand out（突出している）、unrivalled（ライバルのいない→無比の）などの言い方ができます。

2．Nikko Morgan Securities took steps to beef up its IPO business.

拡充するという意味では、expand、strengthen などが思い浮かぶと思いますが、beef up という言い方を使ってみました。reinforce もしっくりきますね（IPO については第2章第4節「株式公開」で取り上げます）。

3．UFG Wing Securities recruited market-savvy credit analysts.

経験豊富というのは experienced でも結構ですが、savvy という単語も、ときどきマーケット関連の記事に登場します。

4．The increased competition has forced a number of investment banks to pull out of equity business.

「撤退する」は withdraw from か pull out of を使いましょう。

必須ボキャブラリー

- 値づけ（market making）
- 買値（bid/buying price） ⇔ 売値（offer/selling price）
- 呈示価格（quotation）、呈示する（quote）
- 商業銀行業務（commercial banking） ⇔ 投資銀行業務（investment banking）
- ホールセール・バンキング（wholesale banking） ⇔ リテール・バンキング（retail banking）
- 引受け（underwriting）、引き受ける（underwrite）
- 最低限のインフラ・陣容（critical mass）
- リーグテーブル（league table）
- 大手（first-tier/top-tier） ⇔ 準大手（second-tier）
- 隙間・ニッチ（niche）
- 強気・ブル（bull） ⇔ 弱気・ベア（bear）
- スケールメリット（economies/merit of scale）

1-5 政府（government）

　政府当局は、国債の発行者としても重要な存在ですが、財政政策と金融政策を通じ、市場にかかわっています。ここでは、市場に大きな影響を与える金融政策について概略をみていくことにしましょう。

■1 財政政策（fiscal policy）

　財務省、大蔵省などの政府機関は、国の税金（tax。taxation は税制）や国債などの歳入と公共投資（public spending）、社会保障費、外交費などの歳出のバランスをどうとるかを協議し、実行しています。経済活動を抑えるときは、増税、公共投資を控えるといった措置をとる一方、景気を刺激する必要があるときは、減税したり、公共投資を増やしたりします。

■2 金融政策（monetary policy）

　日本銀行（Bank of Japan：BOJ/BoJ。日本では、BOJという表記が一般的ですが、海外ではoを小文字表記するケースがあります）、米国連邦準備制度（Federal Reserve System：Fed〔フェッド〕）、欧州中央銀行（ECB）、英国中銀イングランド銀行（Bank of England：BOE/BoE）などの各国中央銀行の重要な責務の1つが、金融政策です。目的は、インフレ（inflation）を抑えることにより物価を安定させ（stabilize prices）、ひいては経済を安定させることです。金利の上げ下げや、世の中（市中）に出回るお金の量（通貨供給量：money supply）を調節することによって、経済運営を行っています。まず、大原則は、次のとおりです。

市中に出回るお金が増える　⇒　金利は低下
市中に出回るお金が減る　⇒　金利は上昇

金利というのは、お金の値段（price of money）ですから、野菜や魚がたくさん出回ると値段が下がる、品薄になると値上がりするというのと同じことです。では、中央銀行はどのような具体的手段をとるのでしょうか。

（1）公定歩合操作
1年以内の短期金利を調節し、金融緩和・引締めを行います。

不景気　⇒　金利を下げ（lower rates）、経済活動を刺激
　　　　　　＝金融緩和（monetary easing）
好景気　⇒　金利を上げ（raise rates）、経済活動を抑制
　　　　　　＝金融引締め（monetary tightening）

それぞれの政策を、金融緩和政策（easy/accommodative monetary policy）⇔　金融引締め政策（tight monetary policy）といいます。

（2）公開市場操作（open market operations：オペレーション）
中央銀行が金融機関を相手に、国債や手形の売買を通し市場の資金量を調節する方法。

中央銀行が金融機関　⇒　買付代金が市場に流れ、　⇒　金利低下
から国債を買取り　　　　市中の資金量が増加
中央銀行が金融機関　⇒　売却代金が中央銀行に支払　⇒　金利上昇
に国債を売却　　　　　　われ、市中の資金量が減少

（3）支払準備制度（reserve requirements）
民間銀行は、預金の払出しに備え、一定割合の現金（準備預金：reserve）を中央銀行に無利子で預けることが義務づけられています。米国では、これを Federal Funds（Fed Funds：FF）といいます。この支払準備率（reserve ratios）を上げ下げすることにより、民間銀行が貸出しに回

せるお金の量を調節します。また、日銀の公定歩合は official discount rate といいます。

| 準備率が下がる | ⇒ | 中央銀行に預ける金額が減少、市中の資金が増加 | ⇒ | 金利低下 |
| 準備率が上がる | ⇒ | 中央銀行に預ける金額が増加、市中の資金が減少 | ⇒ | 金利上昇 |

さらに、中央銀行は、銀行間の決済に支障がないよう常時チェックするとともに、金融機関に支払不能のリスクが生じる可能性がある場合は、「最後の貸し手」(lender of last resort) として金融機関に貸出しを行うこともあります。この制度は、わが国では日銀特融、米国連邦準備制度 (Fed フェッド) では the Discount Window (割引窓口) などといわれています。

このように、政府はさまざまな形で市場に関与していますが、金融のグローバル化が進むなか、各国政府が連携し、お金の流れを国際的な規模で調整しなければならない時代に入ってきています。

基本翻訳演習

ちょっと難しいかもしれませんが、連邦公開市場委員会 (FOMC) のプレスリリースの抜粋にチャレンジしましょう。

【問題】
The Federal Open Market Committee decided today to lower its target for the federal funds rate by 25 basis points to 1 per cent.
Recent signs point to a firming in spending, markedly improved financial conditions, and labor and product markets that are stabilizing. The economy, nonetheless, has yet to exhibit sustainable growth. With inflationary expectations subdued, the Committee judged that a slightly more expansive monetary policy

would add further support for an economy which expects to improve over time.
（出所：Federal Reserve Release dated June 25, 2003）

【単語と解説】

＊basis point　100分の1％、毛（100bpは1％。つまり、25bpは0.25％）。
＊point to　方向を示す。
＊exhibit　示す、明白になる（exhibition：展覧会、博覧会）。
＊sustainable　維持できる、継続できる。
＊subdued　和らげられた、抑えられた。
＊expansive　ここでは、景気を刺激する、という意味（economic expansion：景気拡大）。

◎Recent signs～stabilizing.：骨組みは下記のとおりです。

Recent signs + points to + a firming in
 a) spending
 b) markedly improved financial conditions
 c) labor and product markets that are stabilizing

　一言でいうと、景気回復の兆候はみられるものの、まだ軌道に乗ったとはいえないので、引き続き金利を下げ、景気を刺激するという緩和策をとる必要がある、ということでしょうか。そもそも、こういう声明文の類は、オブラートに包んだ言い方が多いので難しいですね。行間を読むプロ（？）のFed watcherですら苦労しているくらいですから、めげずにがんばりましょう。
　なお、アメリカの金融制度については、一休みしながら、後出のCoffee Break（2）を読んでみてください。

【解答例】

　連邦公開市場委員会（FOMC）は、本日の会合で、フェデラル・ファンド（FF）レートの誘導金利を0.25％引き下げ、年1％とすることを決定した。最近の兆候をみると、消費支出、際だって改善された金融状況、および安定化し

つつある労働・生産市場は、底固めの方向に向かっていることを示している。にもかかわらず、経済は持続的成長を示す段階にまでは至っていない。当委員会は、インフレ期待が後退するなか、景気を刺激するもう一段の金融緩和策が、今後の回復が見込まれる景気をさらに下支えすると判断した。

基本英作文演習

【問題】
1．日本はここ10年間デフレに悩まされてきた。
2．デフレリスクは排除できない。
3．日銀は、現行の金融緩和策維持を決定した。
4．小泉首相は、国債新規発行を30兆円以下に抑えるという当初の公約を諦めた。

【解答例と解説】
1．Japan has suffered from deflation for the past decade.
　suffer from は受験英語でもおなじみですね。ちょっと固いですが、deflation を主語とし、vex（annoy、worry の意）を使い、Deflation has vexed Japan for the past decade. という言い方もできます。

2．The risk of deflation cannot be ruled out.
　イラク戦争の報道では、cannot rule out the possibility（可能性は排除できない）というどちらともとれる言い方がよく使われていましたが、金融の世界も先が読みにくいという意味では共通点があり、同様の言い方はさまざまな場面で出てきます。rule out のほかには、eliminate the risk of deflation、stamp out the risk of deflation、ward off the risk of deflation（排除するというよりは回避するニュアンス）などの言い方があります。

3．Bank of Japan (BoJ) decided to keep/leave its current loose monetary policy unchanged.
　緩和は loose（tight の反対）としてみました。もちろん easy monetary policy

も緩和の意味で使います（"easy＝簡単、安易"という呪縛から逃れてください）。動詞は ease で Policy is expected to be eased in the next meeting. のように使います。

ちなみに、0.25％の利下げ（緩和）であれば a quarter-point easing のようにいいます。

4．The Prime Minister Koizumi gave up an initial pledge to keep new bond issuance to 30 trillion yen.

以下に抑えるという部分は、さらっと keep...to Y30 trillion（円は¥、JPY、または単にYと表示）と表現してみました。

必須ボキャブラリー

- 財政政策（fiscal policy）⇔ 金融政策（monetary policy）
- 公共投資（public spending）
- 金融緩和（monetary easing）⇔ 金融引締め（monetary tightening）
- 金融緩和政策（easy／accommodative monetary policy）⇔ 金融引締め政策（tight monetary policy）
- インフレーション（inflation）⇔ デフレーション（deflation）
- 物価安定（price stabilization）
- 通貨供給量（money supply）
- 公開市場操作（open market operations）
- 支払準備制度（reserve requirements）
- 準備預金（reserve）、支払準備率（reserve ratios）
- Federal Funds（Fed Funds：FF）、フェデラル・ファンド（FF）レート（federal funds rate：FF rate）
- 最後の貸し手（lender of last resort）、割引窓口（the Discount Window）
- 連邦準備制度（Fed）、連邦準備制度理事会（FRB）、連邦公開市場委員会（FOMC）
- ベーシス・ポイント（basis point）

Coffee Break -2- 連邦準備制度（Federal Reserve System：通称 Fed）

　米国の金融政策に関する記事を読むと、Fed（フェッド）、FRB（エフ・アール・ビー）、FOMC（エフ・オー・エム・シー）などさまざまな単語が飛び交い、さらに Federal Reserve Bank of New York などという銀行名まで登場し、頭がパニック状態になりそうですね。そこで、Fed の仕組みについて説明しておきましょう。Fed といったときはこの中央銀行システムの総称を指しますが、具体的には次の3つの組織から成り立っています。

（1）連邦準備制度理事会（Board of Governors of the Federal Reserve System、略して FRB）
　ワシントン D.C. にある最高意思決定機関。理事7名。現在の議長は、「市場の神様」の異名を持つおなじみグリーンスパン氏（Alan Greenspan）。あのトラッドな眼鏡がインテリっぽくていいですね。

（2）連邦公開市場委員会（Federal Open Market Committee、略して FOMC）
　FRB が年8回定期的に開く米金融政策に関する最高意思決定機関。メンバーは7名の理事と、ニューヨーク連銀を含む5名の連邦準備銀行（地区連銀）総裁。議長は FRB 議長。短期金利の誘導目標、マネーサプライの調節などを決定します。具体的には federal funds rate（FF rate：銀行間取引の基準レート。わが国のコールレートに相当）がターゲットになります。

（3）連邦準備銀行（Federal Reserve Bank）
　地区連銀といわれる金融政策の執行機関。大将はニューヨーク連銀（Federal Reserve Bank of New York）で、FOMC で決定された金融調節目標の実行を担っています。NY、シカゴなど全米12カ所。

　一言でいうと、FRB 議長が FRB 理事と連邦準備銀行の一部を招集して開く会議が FOMC で、そこで短期金利である FF rate の方向性が決定されるということです。以上を押さえておけば、どんな単語が登場しても慌てることはありませんね。

第 2 章

株式

　下準備が整ったところで、資本市場の2本の重要な柱である株と債券（ボンド）のうち、この章では、みなさんにとって親しみやすいと思われる株式市場をみていきましょう。株式の特徴、変動要因、投資尺度、株式指数、株式公開などの基本事項について確認していきます。

　そして、何といっても、株式といえば「相場」ですから、金融英語の真髄ともいえる、相場にかかわるさまざまな表現をものにしましょう。聞きなれない言い回しがいろいろと飛び出してくると思いますが、焦らずじっくり時間をかけ、味わいながら消化してください。これらの語彙が体内に栄養として行き渡ると、金融関連記事を読んだり、金融について語ったりするときに、「進歩した」と感じるはずです。

2-1 株式の特徴と種類

一口に株式と言っても、TOPIX といった株式指数、新規上場株、銀行の優先株など、さまざまな側面がありますね。まずは、株式の特徴などの基本を押さえておきましょう。

1 株式（stocks/〈英〉shares）の特徴

まず、株式の特徴を把握するために、債券（ボンド）についてみておきましょう。ボンドの場合、それを購入した投資家は債権者（creditor）となり、発行者は債務者（debtor）となります。投資家は、年に1回ないし2回の割合で利息（クーポン）を受け取るほか、償還期限（maturity date）が到来すると元本（principal）を回収することになります。そして、発行者が償還日に支払不能（デフォルト：default）に陥らない限り、元本全額が投資家に戻ってきます。もしもボンドを償還期限の来る前に現金化したい場合は、そのときの市場価格で売却することもできます。

一方、株式を購入した投資家はどうでしょう。債権者ではなく、株主（stockholder/〈英〉shareholder）となります。株式には償還期限というものがありませんから、自分の所有株を市場で売却して投資元本を回収します。株価は刻々と変化しますから、売却しても必ずしも譲渡益（capital gain）が出るという保証はありません。経済全体が悪化してくると、株価は低迷し、無配当の会社も多くなります。そして、万一その会社が倒産した（go bankrupt）場合、株価はゼロとなり、残余財産の分配で投資家は債権者より後回しにされることになります。反面、企業の業績が良くなり株価が上昇すると、株主へのリターン（return）はボンドの比ではありませんね。このように、ある会社の株を買うということは、その会社の将来

に期待をかけて投資をすることで、文字通りその会社の主(ぬし)(owner)のひとりになることなのです。

2 株主の権利・株式の種類

投資家が株式を手にしてめでたく主となった暁には、次のようなメリットが受けられます。

- その会社の利益のお裾分けといえる配当を受ける権利（dividend right）
- 株主総会などで、単元株１株でも１票を投じることができる議決権（voting right）
- 会社解散時に残った財産の分配を受ける権利（residual claim）
- 企業が新しく株を発行するときに優先的に購入することのできる新株引受権（preemptive right）

みなさんが証券会社を通して購入する株式には、通常はこのような権利が付与されていて、普通株（ordinary stocks/shares）と呼ばれています。しかし、配当が多ければ議決権はなくてもよいという投資家もいるでしょうし、資本は充実させたいが議決権は手元に残したいと思う経営者もいるでしょう。このようなニーズを満たすために考え出されたのが優先株（preference/preferred shares/stocks）です。投資家からみると、議決権が制限される代わりに高い配当が約束されますが、発行企業にとっては、長期にわたり財務の圧迫要因となります。

基本翻訳演習

【問題】
Generali Motors has always taken advantage of windows of opportunity in the financial markets by issuing shares as and where they see an opening. The company announced last week that it would be undertaking a rights issue on the basis of 1 share for every 2 shares held at an issue price of 10 dollars per share to raise up to $2,000 million.

【単語と解説】
＊window　絶好のタイミング。
＊undertake　実施する。
＊rights issue　株主割当。会社が新株を発行するとき引受権を株主に与える方式（これに対し広く取得者を募るやり方が公募 public offering、open offer）。rights の "s" をお忘れなく！

　ポイントは、究極の金融用語 window。業界ではそのままウィンドウといいますが、知らないとどうにもならない単語です。調達サイドはできる限り安く調達したいと考える一方、運用サイドはできる限り魅力的な商品を買いたいと思うのが世の常で、両者のレベルには通常乖離があります。このギャップを埋めるべく、主幹事は頭を悩ますわけです。ただ、マーケットは常に動いているので、発行体にとって、両方のニーズを満たすレベルが訪れる瞬間があります。この瞬間が到来したときに条件を確定させるわけですが、これを窓にたとえて次のようにいいます。
　　　［例］The window is now open.
　　　　　　We see the window of opportunity.
　　　　　　釣り糸にやっと魚が引っかかったときのような気分ですね。

　ちなみに、ウィンドウが閉じてしまうときは shut、close を使います。
The company tries to raise funds before the window closes.
（窓が閉じないうちに資金調達しようとしている）

The window remains shut.
（なかなかいいタイミングが訪れない）

◎第1文の by 以下：by issuing shares as and where they see an opening（of the window）.

as と where は、opening がみえたとき（as）、みえたところで（where）。それぞれ they see an opening にかかり、全体として by issuing shares（株式を発行することによって）を修飾します。

そして、勘を働かせて opening の後に of the window が省略されていることを見抜きましょう。

◎第2文：a rights issue//on the basis of 1 share for every 2 shares held //at an issue price of 10 dollars per share//と区切りましょう。区切り方を間違えると、泥沼にはまります。

【解答例】
　ジェネラーリ・モーターズは、機を待って、希望する諸条件を満たす時点で、新株発行を行うことにより、常に金融市場での好機を生かしてきた。同社は先週、総額20億ドルを上限とする資金調達を行うために、1株あたり10ドル、持ち株2株につき1株の割合で株主割当を実施する予定である旨の発表をした。

基本英作文演習

【問題】
1. 株主にとって配当とは、債券保有者にとってのクーポンに相当する（A is to B what C is to D）。
2. 最近ウィンドウが開いたので、NPPドコモは増資が可能となった。
3. ヤマモト運輸は1株あたり5円の中間配当を維持した。
4. 市場における定期的な株式の発行が、結果的には実を結んだ（dividend を使用すること）。

【解答例と解説】

1．The dividend is to the shareholder/stockholder what the coupon is to the bondholder.

　懐かしい受験英語といった感じですね。受験英語は役に立たないと考えるのは間違いであることの好事例です。みなさん、自信を持ちましょう。

2．The recent window of opportunity has enabled NPP Docomo to raise new capital.

　翻訳のところで登場したwindowです。本題では、windowを主語にした方が自然な英語になると思います。

3．Yamamoto Transport maintained its interim dividend at 5 yen per share.

　配当には、半期決算のときに支払われる中間配当（interim dividend）と、本決算のときに支払われる期末配当（final dividend）があります。ちなみに、dividendはラテン語のdividendum（分けられるべきもの）が語源。利益のお裾分けといったニュアンスです。

　さて、「配当する」はpay dividendといいます。不変の場合はmaintainかkeepがピッタリです。ご参考までに、無配（配当ゼロ）の場合は、pay no dividendあるいはpass the dividendといいます。まさにトランプのパス（1回休み）と同じですね。増減はincreaseやdecreaseで表現できますが、2倍で10円となるならdouble the dividend to 10 yenといえば結構です。

4．Regular issuance in the market has paid dividends in the end.

　意味するところは、多少無理をしても定期的に発行して投資家を開拓しておくと、マーケット環境が多少悪化しても、いざというときに発行できるので、長い目でみれば得ということです。配当とは関係ありませんが、pay dividends（利益を生む、実を結ぶ。dividendsは複数形）という熟語は、金融関係者が好んで用いる表現です（もちろん、金融以外でも使えます）。

必須ボキャブラリー

- 債権者（creditor） ⇔ 債務者（debtor）
- 支払不能・デフォルト（default）
- 株式（stock/〈英〉share）、株主（stockholder/〈英〉shareholder）
- 利益配当請求権（dividend right）
- 議決権（voting right）
- 残余財産分配請求権（residual claim）
- 新株引受権（preemptive right）
- 普通株（ordinary stocks/shares） ⇔ 優先株（preference/preferred shares/stocks）
- 窓が開く絶好のタイミング（windows of opportunity）
- 株主割当（rights issue） ⇔ 公募（public offering、open offer）
- 中間配当（interim dividend） ⇔ 期末配当（final dividend）

2-2
株価の変動要因、株の投資尺度、株式指数

　株価は、需要（demand）と供給（supply）によって変動します。つまり、買いが増えれば上昇し、売りが増えれば下がります。それでは、その需給関係はどのような要因によって変化するのかをみていきましょう。

1 株価の変動要因

　株価というのは、本来、企業の価値を映す鏡ですから、企業業績の見通しや新製品のニュースといった、その企業に関する個別材料（individual factors）で決まってくるべきものといえます。ところが実際には、その会社や競合会社の属する業界の動向、国内・海外の機関投資家、景気、政局、金融市場（債券・為替など）の動きなど、いわゆる一般材料（general factors）が複雑に絡み合って動いていきます。ここでは、金利と為替の与える影響について、基本原則を確認しておきましょう。実際には原則通り動かないことが多いので、あくまで目安と考えてください。

（1）金利

　金利が下がるということは、預金や債券の金利が下がることなので、預金をする人が減り、お金が株式市場に集まるため、株価が上がります。反対に金利が上がると、お金が株式市場から逃げて株価が下がるという現象が起きます。

（2）為替

　円安（ドル高）は輸出関連企業の株価にプラス、輸入関連企業にはマイナスに働きます。自動車メーカーが1台1万ドルの車を売り、ドル建て決済したとすると、1ドル＝110円なら110万円、150円なら150万円の売上げ

となりますね。一方、海外から原材料を輸入している会社にとっては、仕入れコスト増となるわけです。円高（ドル安）となると、その逆の現象が起こります。

2 株の投資尺度

新聞やアナリスト・レポートを読むと、企業を評価する際のさまざまな指標が出てきて戸惑う読者もいらっしゃると思います。次の2つは存在だけでも覚えておいてください。

（1） PER（株価収益率：price earnings ratio または P/E ratio）

税引後利益（税金を払った後に手元に残る最終利益）を発行済み株式数で割ると、1株あたりの利益（EPS：earnings per share）が出ます。そして、株価を1株あたりの利益で割ったものがPERです。

　［例題］税引後利益が50億円、発行済み株式数が1億株、株価が600円のときのPERは？
　［解答］EPS　50億円÷1億株＝50円
　　　　　PER　600円÷50円＝12倍…（答）

PERは会社の収益力に対する投資家の期待度を示します。期待が大きい株式の株価は上昇するからです。したがって、一般的にPERは好業績の企業ほど高いといわれています。しかし、会社ごとに利益や発行済み株式の総数が異なるため、安易にPERだけを比較することは禁物です。ただ、業種ごとの傾向があるので、業種平均を1つの目安として株価を判断する基準とすることはできます。好業績でPERが業界平均に比べて低い会社の株は割安（つまり買うチャンス）といった具合です。

（2）ROE（株主資本利益率：return on equity）

　税引後利益を株主資本で割ったものです。株主から預かったお金を、どれだけ効率的に活用し、利益を上げたかを判断する指標といえます。これまで株主軽視（＝社員重視）だった日本企業も、グローバル化の流れのなか、欧米式の株主重視の経営姿勢が浸透してきました。

　ところで、証券会社のアナリストは、各銘柄の収益性、成長性を評価のうえ、株式の格付け（rating）を行います。全体の株式指数のパフォーマンスと比べて、市場平均（market perform、in-line）、それを10～20％以上上回る（outperform）、下回る（underperform）、または、買い（buy）、売り（sell）、中立（neutral）といったランク付けをするわけです。なお、ここでいう格付けというのは、債券の格付け（第3章第4節「格付け」）とは概念が根本的に異なりますので、ご注意ください。

　株式投資には、まずは個別材料、つまり企業の体力、将来性を知ることが第一ですが、『会社四季報』には企業に関する情報がコンパクトに凝縮されています。その英語版（*Japan Company Handbook*）は、海外の市場関係者のバイブルとして愛読されています。巻末資料5として、掲載内容の英和対照表を載せておきましたので、参考にしながら、一度ナマの英語版にチャレンジしてみてください。

3　株式指数

　第1章「金融市場とその主要参加者」でお話しした4大市場の指数は、毎日お茶の間のニュースでも登場しますね。ここで概略をつかんでおきましょう。

（1）東京
- 東証株価指数（トピックス）：TOPIX（Tokyo Stock Price Index）。時価総額を指数化したもので、上場銘柄すべてが含まれているため、全体の流れを把握する目的で使用される指標（ベンチマーク：benchmark）です。
- 日経平均株価：the Nikkei（225）。225種平均、あるいは単に平均株価といわれたりもしますね。上場企業225社の平均値で、わが国を代表する指標です。

（2）ニューヨーク
- ダウ（工業株30種）平均：Dow Jones Industrial Average（DJIA）または Dow Jones Industrials。NYSE の blue chip（優良企業）30社の指標。世界で一番注目度が高い指数。
- S&P500種：S&P 500。主要市場に上場された500社の株価を1941-43年の値を10として指数化したもの。東証の TOPIX に相当。
- ナスダック総合株価指数：Nasdaq Composite Index、ナスダック上場銘柄全部を、1971年2月5日を100として指数化。ハイテク株などが多く、いわゆる new economy の指標として注目されています。

（3）ロンドン
- 英 FTSE 100：FTSE 100 index（Footsie）。LSE の時価総額上位100社の株価を、1984年1月3日を1,000として指数化したもの。

基本翻訳演習

【問題】

Traders are <u>tentative</u> as <u>Wall Street</u> debates whether the market's strong gains in recent months constitute a bear market correction, or the start of a new bull market.

【単語と解説】
＊tentative　一時的という意味ですが、1つの方向に大きな舵をとらず、様子をみている感じです。
＊Wall Street　文字通りウォール街ですが、ニューヨークの金融市場を示す代名詞。

【解答例】
　ウォール街では、ここ数カ月間の市場の力強い上昇相場が、ベア（弱気）市場の修正にすぎないのか、それとも新しいブル（強気）相場の始まりなのかの議論がなされているので、トレーダーたちは様子見の姿勢をとっている。

基本英作文演習

【問題】
1．この株の株価収益率は10倍である。
2．本日の東京証券取引所では、値上がり株が値下がり株の数を上回った。
3．アナリストの役割は、割安株を発掘することにある。
4．ニューヨーク市場の出来高は8億株、ナスダックは10億株であった。

【解答例と解説】
1．The shares are on a P/E ratio of 10.
　PERを主語に持ってきてもいいと思いますが、株の指標について述べる場合は、株を主語にすることが多いと思います。ほかにも The shares sell at 10 times earnings. The shares are on a multiple of 10. という言い方をしますが、個人的には、PERという単語が出てこないと落ち着かないです。

2．Advancers outnumbered decliners on the Tokyo Stock Exchange today.
　値上がり株（advancers、gainers）と値下がり株（decliners、losers）をセットで覚えるとともに、「数を上回る：outnumber」も使えるようにしておきましょう。

3．The role of analysts is to find undervalued stocks.
　undervalued（割安）、overvalued（割高）をセットで覚えておきましょう。

4．Trading volume on NYSE/the Big Board was 800 million, and 1 billion on the Nasdaq.
　出来高（取引された株数）は trading volume で、売買代金（株価×株数）は通常 turnover といいます。出来高の多寡は heavy や light（thin）と表現します。
　　［例］Trading remained light as investors await key US payrolls figures.（薄商い）
　　　　　Tuesday's session was expected to be heavy in volumes.

必須ボキャブラリー

- 需要（demand）⇔ 供給（supply）
- 個別材料（individual factors）⇔ 一般材料（general factors）
- 1株あたりの利益（EPS：earnings per share）
- 株価収益率（PER：price earnings ratio）
- 株主資本利益率（ROE：return on equity）
- 日経平均株価（the Nikkei（225））、東証株価指数/トピックス（TOPIX）
- ダウ（工業株30種）平均（Dow Jones Industrial Average（DJIA）、Dow Jones Industrials、the Industrials、the Dow）
- ナスダック総合株価指数（Nasdaq Composite Index）
- 英 FTSE100（FTSE 100 index（Footsie））
- 値上がり株（advancers、gainers）⇔ 値下がり株（decliners、losers）
- 格付け（rating）
- 市場平均（market perform、in-line）、それを上回る（outperform）⇔ 下回る（underperform）
- 割安（undervalued）⇔ 割高（overvalued）
- 買推奨（buy）⇔ 売推奨（sell）、中立（neutral、in-line）
- 出来高（trading volume）
- 売買代金（turnover）

2-3 相場にかかわる英語表現

少し趣向を変えて、相場に関連するさまざまな英語表現を取り上げます。究極の金融英語をたっぷり味わってください。消化不良を起こしそうなときは、無理をしないでくださいね。

■1 日々の相場の上下にかかわる表現

挨拶代わりに、How is the market? と聞かれることがよくあります。私はこの質問が、How are you? と同じくらい嫌いです。英国人はさらっと洒落た切返しをするのですが、特に不意を突かれるとありきたりの答えしかできず、表現力不足を痛感することがよくあります。ワインの味を聞かれて It tastes good. としか答えられないときに自己嫌悪に陥るのと同様です。みなさんもがんばって語彙を増やし、反射神経を養ってください。

(1) (通常の) 上昇：up、higher、gain、rise、add、rally、etc.

- Nikkei closed 2 percent higher at 10,860.（日経平均は2％上昇し、10,860円で引けた（percent/〈英〉per cent））
- The broader-based TOPIX index gained/rose 1 per cent to 1,130.（全体の指数を示す TOPIX は、1％上昇（下降）し、1,130となった）
- Nasdaq ended in positive territory.（ナスダックは前日比上昇した）
- By the closing bell the Dow Jones Industrial Average added 200 to 10,320.（終了時までに、ダウ平均は200ポイント上昇し、10,320で引けた（closing bell はニューヨーク市場で終了を知らせる鐘））
- Footsie rose 7 per cent to a 6-year high of 4,500.（フッツィーは7％上昇し、6年来の最高値である4,500で引けた（X年来の最高（安）値：a X-year high（low））

・The Nikkei average rallied to close above the 11,000-level.（日経平均は上昇し、引けにかけて11,000円の大台に乗せた）

（2）急上昇：**surge**、**jump**、**soar**、**rocket**、**shoot up**、etc.
・Shares jumped in response to overnight gains on Wall Street.（前日のウォール街の上昇を受け、株価は急上昇した）
・Footsie soared/rocketed/jumped yesterday.（フッツィーは昨日急騰した）

（3）下降：**down**、**lower**、**dive**、**slide**、**dip**、**weak**、**fall**、**softer**、**slump**、etc.
・Wall Street closed lower with the Dow Jones Industrial Average ending 3 per cent weaker at 10,132.（ニューヨーク市場では、ダウ平均が3％下落し、10,132で引けた）
・The FTSE 100 fell 30 points to 4,235.（フッツィーは30ポイント下落し、4,235で引けた）
・Nikkei ended in negative territory.（日経平均は前日を下回った）
・Sunny slipped/lost/slumped/slid 4 per cent to ＄45.（サニーは4％下落し、45ドルで引けた）
・Nokiya was down 3 per cent.（ノキヤは3％下落した）
・Telecom stocks were softer.（通信関連株は弱含みであった）

（4）不変：**flat**
・The Dow Jones Industrial Average was flat at 10,200.（ダウ平均は10,200で不変であった）

（5）激しい動き：**choppy**、**volatile**
・Wall Street became volatile/choppy upon the announcement of the rate cut.（利下げ発表直後、ウォール街は激しい動きに見舞われた）

2 市場心理（market sentiment）に関する表現

（1）上昇・下降、良し悪し
①対となる表現
　ブル（bull、bullish）⇔ベア（bear、bearish）、positive⇔negative、rise⇔decline、upturn⇔downturn、upward⇔downward、upswing⇔downswing、in good shape⇔in bad shape など。いずれも頻出用語です。

②上向き、良い場合
・support を使って、The market is supported by... などといいますが、上向きという意味で a buoyant market という表現もあります。耳慣れないかもしれませんが、buoy は湖や海に浮かんでいるブイのこと。浮力のある→上がり気味、という連想が働くでしょう？　この場合、buoyed はかなり positive なニュアンスで、supported by... というより強いですね。
・また、The market remains robust.（市場は引き続き力強い）のように使われる robust は元気一杯の感じ。思い出したくはないのですが、bust（倒産）と聞こえて、思い切り勘違いし、恥をかいたことがあります。

③下向き、悪い場合
気の滅入りそうな表現がたくさんあります。
・gloomy、grim、depressed は暗いムードが漂っているときに使います（例：The sentiment is grim. 市場の空気は重い）。一方、overshadowed は何らかの原因が水を刺すニュアンス（例：The market is overshadowed by war. 戦争が市場に暗い影を落としている）。
・悪い方に向かっているときには、必殺単語 deteriorate が大活躍（例：The market has been deteriorating. 市場は悪化している）。
・名詞としての turmoil（混乱）も、global market turmoil（世界市場の混乱）などと使われます。

④回復基調

　recover、bounce back などが使われます。pick-up は既に学習済みですね（第 1 章第 2 節「投資家」の基本英作文演習の解説 4. を参照）。The market has been picking up.（市場は上向いている）The market is on the road to recovery.（市場は回復基調にある）などが定番でしょう。

（ 2 ）安定、不安定
・stable、unstable がシンプルですが、安定を示すのに firm、solid も頻出単語。The secondary market remains firm.（セカンダリー市場は安定している）といえば手堅い動きが伝わってきます。

（ 3 ）活発、不活発
・一番簡単なのは、active、inactive。
・不活発な状態を表すには The market is moribund.（市場は低迷している。moribund：瀕死の状態）など。
・活発化に向かっているときは The market is moving towards revitalization.（市場は活発化の兆しが出てきている）
・パッとしない感じを出すには lackluster がピッタリ（例：The market has been showing a lackluster performance. 市場のパフォーマンスはパッとしない）。
・静かな感じを出すには、US market was in muted/quiet fashion today.（米国市場は静かな 1 日となった）

（ 4 ）様子見
・形容詞では hold をよく使いますね。
　The market was in a holding pattern.（市場は様子見の状態であった）
　The auction has put the market on hold.（入札により市場は様子見気分となった）
　Investors held back, not knowing how to react on such terrible news.

（投資家は、その悲しいニュースにどう反応したらよいかわからず、動きは鈍かった）
・名詞では standstill を使って The looming prospect of economic recovery brought activity to a standstill.（景気回復の暗い見通しにより、活動は停止状態となった）といったりします。
・小康状態が長引くと、マーケットのマグマが溜まっていきますが、これを pent-up demand from investors（投資家の需要が積みあがる）などといいますね。

基本翻訳演習

【問題】
Strategists forecast volatile trading conditions in New York tomorrow as investors first react to ISM and then focus on squaring positions ahead of the weekend.

【単語と解説】
＊ISM：Institute of Supply Management の略で、GDP の製造業部門の供給側を示す指数。日銀短観の米国版と考えてください（米国経済指標については50ページのコラム参照）。

　内容がちょっと難しいかもしれませんね。square にするというのは、投資家・トレーダーなどが、売りと買いを同じ残高にもっていくことです。

【解答例】
　ストラテジストによると、投資家はまず全米供給管理協会指数の発表に反応したうえで、週末を控えポジションをスクエアに持っていくことに注力するため、明日のニューヨーク市場のトレーディング地合いは荒れ模様と予想される。

基本英作文演習

【問題】
1．マーケット環境は良好である（momentum を用いること）。
2．ウォール街では、景気回復期待感から、活発な取引が行われた。
3．株式市場は低迷したままだ。
4．欧州中央銀行のプレスリリースを控え、市場参加者の動きは鈍かった。

【解答例と解説】
1．There is a lot of positive momentum in the market.

　もちろん The market sentiment is positive. というのが一番簡単でしょうが、ここでは momentum の使い方を覚えましょう。momentum を英和辞典で調べると、弾み・勢い・情勢、英英辞典では the ability to keep increasing or developing などと出ています。momentum 自体に既にポジティブなニュアンスが含まれていますが、明確にするために修飾語をともなうことがよくあります。また、不可算名詞なので、there are ではなく there is となります。

〈上向き〉
The market is gathering momentum.
Secondary loan trading activity is staring to pick up momentum.
〈下向き〉
The market is losing momentum.
The momentum is fading.

2．The trading on Wall Street was buoyed by hopes of economic recovery.

　もちろん was supported by... でも結構ですが、活発なニュアンスを出すために前述の buoyed を使ってみました。

3．The stock market is stuck in a bear territory.
　bull、bear の対は必須用語です。使えるようにしてください。

4．Market participant stayed/remained on the sideline(s) ahead of ECB's press release.

　前述の hold back を使っても構いませんが、常連組である stay on the sidelines を使ってみました。試合には参加せず、ラインの外に立ってみているニュアンスが伝わってきますね。様子見の傾向が出てきたときは、stay、remain の代わりに head を使い、Real estate buyers head to the sidelines. などといいます。

必須ボキャブラリー

・市場・相場のポジティブな流れ（momentum）

Coffee Break -3- 米英の主要経済指標

　ISM が登場したところで、ちょうどいい機会なので、米国の主要経済統計についてお話ししておきましょう。とりあえず以下の5つを押さえてくださされば、関連記事を読むときにだいぶ視界が開けてくると思います。一度に覚える必要はなく、実際に記事で遭遇したときに参照するくらいの楽な気持ちで臨んでください。

（1）雇用統計（employment & unemployment statistics）
　毎月第1金曜日、労働省が非農業雇用者数（non-farm payrolls）、失業率（jobless claims）などを発表。
（2）全米供給管理協会（ISM：Institute of Supply Management）指数
　毎月1日、全米供給管理協会が発表する GDP の製造業部門の供給側を示す指数（旧 NAPM 指数）。「50％超」が「拡大」を示唆。日銀短観と同じ景気動向指数（DI）で、短観はゼロ、ISM は50％が中立。
（3）小売売上高（retail sales）
　毎月中旬、商務省が出す約13,300の小売業者を対象としたアンケート

調査結果。
(4) 実質GDP速報（GDP：Gross Domestic Product）
1、4、7、10月下旬、商務省が発表する直前四半期の実質GDPの前四半期比年率。
(5) PPI（producer price index）「生産者物価指数」、CPI（consumer price index）「消費者物価指数」
毎月中旬、労働省が発表。

次に英国の主要経済指標。米国の指標に比べ注目度が低いのは否定できませんが、下記の2つは押さえておきたいですね。

(1) GDP
四半期毎の数値が発表されます。
(2) インフレ率
月ベースで発表されます。CPI inflation（Consumer Price Index：消費者物価指数）に対し、2％という政府の目標値が設定されています。この目標に向かって金融政策の誘導を行うのが、Bank of EnglandのMPC（Monetary Policy Committee 金融政策委員会）です。

このほか、注目度が高いのが、住宅価格指数（Housing Price Index）です。英国は持ち家比率が約3分の2と、他の欧州諸国に比べ高く、景気を大きく左右する要因になっています。つまり、住宅価格の推移が、金融政策を決定するうえでの判断材料の1つとなっているのですね。特に、HalifaxとNationwideの金融機関が発表する毎月の指数は、国民全体が関心を持っているといっても過言ではありません。

2-4 株式公開（IPO：initial public offering）

　第2節「株価の変動要因、株の投資尺度、株式指数」では、以前筆者が中古車市場にたとえたセカンダリー市場（日々の株式の売買）についてお話ししました。本節では、新車に相当するプライマリー市場（株式公開）をみていきましょう。

1 企業からみた株式公開

　証券市場に自社の株式を上場・登録し、投資家が自由に売買できるようにすることを、「株式を公開する（go public）」といいます。未公開企業（private company）から脱皮し、一般投資家を株主として迎え入れるという本質をよく表しています。

　企業にとっては、外部株主が入ってくることにより、これまでの大株主の影響力が薄まるとともに、新たな資金調達の道が開かれます。オーナー企業にとってみれば、個人経営から脱皮することを意味し、大企業の子会社であれば、親会社から自立する第一歩となることでしょう。

　一方、公開企業である以上、財務情報にかかわる継続的な情報開示が求められると同時に、株価・株主動向にも目を配り、会社の企業広報活動（IR）も行う必要が出てくるでしょう。

　株式公開にはこのほかにもさまざまな長所と短所がありますが、いずれにしても、その企業の発展にとって大きな転機となることは間違いありません。

2 株式市場からみた新規上場株

　車の市場が中古車だけだとしたら面白味に欠けますね。株式市場もそれ

と同じで、新規公開（IPO：initial public offering）があるからこそエキサイティングなのであり、また、証券取引所も、成長過程にある企業に資金調達の道を開くという資本市場としての重要な役割を果たすことができるのです。

　もっとも、日々の売買が株式市場にとってきわめて重要であることはいうまでもありません。セカンダリー市場が機能しているからこそ、企業は株式公開に踏み切ることができ、投資家も安心して株を買うことができるわけです。

3 株式公開への道

　株式公開のポイントは、まずどのタイミングでどの市場に公開するかということです。わが国を例にとると、株式公開の対象となる証券市場には、東京証券取引所などの取引所市場や、東証マザーズ、ジャスダック市場、大証ヘラクレス等の新興企業向けの新市場があります。新市場の存在により、企業ニーズに合致した株式市場に公開することが可能です。

　さて、公開するには取引所が定めた利益、発行株式数、株主数等の公開基準（eligibility criteria for listing または listing requirements）を満たす必要があります。基準は取引所ごとに異なりますが、東証マザーズ、ヘラクレスなどの新興市場から、東証2部、そして東証1部へと段々ハードルは高くなります。たとえば、新興市場では公開後の成長性が重視されるので、赤字企業の公開実績もあるくらいです。

　公開に向け、株主構成（shareholder structure）、株数（number of shares）、公開前の増資（capital increase）や株式異動（changes in shares）といった資本に関する計画を立て、公開基準を満たすように準備を進めていきます。これらの「資本政策」には、公開時の主幹事候補となる証券会社や会計事務所が、通常公開の2〜3年前から深く関与していきます。実は、筆者も以前株式公開業務に従事していたことがあるのですが、資本政策は上場を成功に導く鍵でもあり、やり甲斐とともに責務の重さを

感じていました。

4 公開直前の準備

　公開直前には、発行済み株式数を増やしたり、一定の株主数を確保したりするために、増資（資本を増やすこと）が行われます。オーナーなどの大株主が、自分の持ち株（stake、holding）を放出し不特定多数の一般投資家に販売する「売出し（offer for sale または単に sale）」や、一般投資家を募って新たに資金を調達する「公募（public offering）」などの手法があります。実際には、公募と売出しを同時に行うことがほとんどです。

　通常、仮条件（仮の価格：indicative price range）を決定後、それをベースに投資家の需要調査（bookbuilding）期間を1週間程度設け、その結果を受けて公募・売出価格（offer price、IPO price、subscription price）を決定します。条件決定後、数日間の募集期間を設け、投資家のオーダーを募ることになります。

　公開株をめでたく手にした投資家は、上場日に売るかどうかは別にして、初値（the share/stock price on the first day）が公開価格をどのくらい上回る（outperform）か下回る（underperform）かを、固唾を呑んで見守るわけですね。一方の経営者は、上場して喜んでいられるのも束の間で、The real life begins after the IPO. と手綱を引き締めることになります。

基本翻訳演習

【問題】
First Chicken, one of the largest fast food chains, went public in April this year, selling with Y25bn offer. The deal did not perform well initially, dropping 5% from its Y3,000 IPO price on the first trading day. It has since rebounded, closing yesterday at Y4,500, an all-time high.

【単語と解説】
* Y 25 bn　250億円。bn は billion（10億円）の略。ちなみに、million（100万）は mn または単に m と表記。1,000のことを大文字で K と書くこともあります（10K＝10 thousand＝1万）。
* offer　ここでは公募（public offering）のこと。
* IPO price　公開価格。
* all-time high　過去最高値。

　構文自体は比較的ストレートだと思いますが、直訳調だと内容が伝わりにくいかもしれません。公募増資の直後に上場するということをふまえ、若干意訳しました。

　本題は公募だけですが、売り出しを含むときは、offer 2 million (new) shares and release 1 million outstanding shares（公募200万株、売出し100万株）などと表現します。

【解答例】
　ファーストフード最大手のうちの一社であるファースト・チキン社は、今年4月、250億円の公募を実施したうえで株式公開を果たした。初日は公開価格である3,000円を5％下回り、出だしは上々とはいえなかったが、その後値を戻し、昨日は上場来最高値の4,500円をつけて取引を終了した。

基本英作文演習

【問題】
1．マザーズの上場基準は、東証2部に比べ緩やかである。
2．ニューヨーク証券取引所に上場する意義は、米国におけるプレゼンスの向上にある。
3．公募は、募集額を25％上回る需要を集めた。
4．マイクロ・ソフトクリーム社の株価は、上場後3倍に上昇した。

【解答例と解説】

1．The rules/the eligibility criteria for floating on the Mothers are much less stringent than for the TSE's second section.

「株式公開・上場」という言い方は、下記の4通りを覚えましょう。

① IPO：もともとは、上場直前の公募（未上場企業にとり外部の株主を加える「最初の：initial」＋「公募：public offering」）の意。これに対し、上場後の公募は secondary public offering といって区別することがあります。

② float：英国でよく使われますが（名詞 flotation）、これは私の大好きなあのコーヒーフロートの float。上場前は、がっちりと安定株主（stable shareholders）に固められていた会社も、ひとたび公開すると、コーヒーに浮かぶアイスクリームのように、浮動（float）することになるわけです（もっとも、浮動株ばかりにならないよう、安定株主対策を講じますが）。

③ going public：未公開企業（private company）からの脱皮をよく表しています。逆に、M&A などで買収企業をいったん非公開にすることがありますが、これを going private といいます。

④ listing：文字通り、株式市場への上場を示す言い方です。

2．The rationale for listing on NYSE is to enhance presence in the US.

意義を rationale としましたが、これは金融に限らず、ビジネスの世界でよく使われます。辞書には、意義、理由づけ、論理的根拠といった訳が並んでいますが、要は、「だからやるんだ」という justification を表します。

3．The offer/IPO was 25% oversubscribed.

募集額を上回る（下回る）は oversubscribed、undersubscribed と表現されます。「何倍」という場合は、times を使いますが、通常 over、under はつけずに、three times subscribed/covered（募集額の3倍）となります。

4．The Micro Softcream's share price has risen threefold after the launch.

2倍、3倍は twofold、threefold という表現が便利です。上場というのは上記の share、float などが使えますが、ここでは launch と表現してみました。launch という単語は本来ロケットの発射や船の進水などに使われますが、金融の世界

では汎用性が広く、債券を発行したりシンジケート・ローンを組成したりするときなどにも使えます。

必須ボキャブラリー

- 公開企業（public company）⇔ 未公開企業（private company）
- 株式公開（going public、IPO、flotation、listing）⇔ 非公開化（going private）
- 上場直前の公募（initial public offering）⇔ 上場後の公募（secondary public offering）
- 上場基準（eligibility criteria for listing、listing requirements）
- 株主構成（shareholder structure）
- 株数（number of shares）
- 増資（capital increase）
- 株式異動（changes in shares）
- 持ち株（stake、holding）
- 売出し（sale）⇔ 公募（public offering、offer for sale）
- 投資家の需要調査（bookbuilding）
- 募集・売出価格（offer price、IPO price、subscription price）
- 初値（the share/stock price on the first day）
- 安定株主（stable shareholders）
- 過去最高値（all-time high）
- 意義、理由づけ、論理的根拠（rationale）

第3章

債券

　株式の次は、資本市場のもう1つの柱である債券（ボンド）です。みなさんにとって一番身近な商品は何でしょう。国債やワリコーなどの金融債、わが国の化粧品会社や建設会社が発行した個人向け事業債、それとも、欧米の銀行や国際機関が出した外貨建債券やサムライ債でしょうか。

　価格と利回りの関係、イールド・カーブ、格付け、といった債券特有の学習事項がありますが、心配は要りませんので、とにかく一緒についてきてください。英語の方も、独特な言い回しが盛りだくさんですが、知らないとどうにもならないので、とにかく覚えてしまいましょう。一度知ってしまえば、「恐るるに足らず」です。

3-1 債券の特徴と種類、価格と利回り

まずは、債券に共通する特徴、種類、価格と利回りの関係、といった債券の基本を確認しておきましょう。米国債についても習得しておきましょう。

1 債券の特徴

債券とは、国や企業などが資金を借りるときに作成する借用証書のことです。小口に分けることで、多数の人から多額の借入れを行うことができます。

投資家からみると、期限（maturity）、クーポン（利息：coupon）などが予め決まっていて、デフォルト（default）にならない限り、期限まで保有していれば元本（principal）が償還（redemption）されますし、途中で市場価格にて売却し現金化することも可能です（満期まで保有することを前提にした国債も一部あります）。また発行者からみると長期間返済しなくてもよい資金なので、資金使途としては設備投資などに充当されます。

2 債券の分類

(1) 発行者による区別

公社債という言い方は、下記の債券の総称です。

・公共債：国（わが国の場合は財務省 Ministry of Finance）、地方公共団体、政府関係機関がそれぞれ、国債（government bonds）、地方債（municipal bonds）、政府保証債（government guaranteed bonds）を発行。代表選手はもちろん国債ですね。

日本国債は Japanese Government Bonds（略して JGBs）。ちなみに、米国債＝US Treasurys/Treasuries、ドイツ国債＝Bunds、英国債＝Gilts（Guilts（有罪、非行）と書いて英国人に笑われた苦い経験があります）。

米国債は、米国財務省(US Treasury、正式名：United States Department of the Treasury）が発行しています。償還年限により、次のように分類されます。
　　Treasury bills（T-bills　1年以内）
　　Treasury notes（T-notes　10年以内）
　　Treasury bonds（T-bonds　10年超）

・民間債：民間企業が社債（corporate bonds）、特定の銀行・金庫が金融債（bank debenture）を発行。

このほか、外国政府や外国法人などの非居住者が発行する外国債（略して外債：foreign bonds）があります。非居住者により、円建てで発行される債券を通称サムライ債（Yen-denominated foreign bonds、Samurai bonds）と称しています。外貨建ての場合は、ショーグン債と呼んでいます。

（2）債券の種類による区別
・利付債（interest-bearing bonds）：クーポン（利息）付きの債券。いわゆる通常のボンド。
・割引債（discount/zero-coupon bonds）：クーポン（利息）のない債券（例：ワリコーなどの金融債）。利子の代りに償還差益があります（例：95円で購入し、額面の100円で償還。期限5年⇒5年で5円、つまり1年で1円＝年率1％のリターン）。

3 債券の価格

額面100円あたりの価格で表します。100円をパー（par）といいます（ゴルフのパーと同じ）。
・100円未満：アンダー・パー（under par）
・100円超：オーバー・パー（over par）

債券で預金金利に相当するのはクーポンですが、パーで発行されても、セカンダリー市場で価格は常に変動しています。したがって、セカンダリー市場で売買する場合は、クーポンだけ比較しても意味がありません。

・アンダー・パーの債券を償還日まで保有⇒償還差益が発生（例：98円で購入→2円の利益）
・オーバー・パーの債券を償還日まで保有⇒償還差損が発生（例：102円で購入→2円の損失）

このように債券では、クーポン収入＋償還差益（差損）＝利回り（イールド）という概念が重要になってきます。これらを加味した利回りにはいくつかの種類がありますが、ここでは省略します。

4 債券の価格と利回りの関係

（1）市場金利水準とともに変動
【例題】市場金利（預金金利）が5％の場合、額面100万円の債券（クーポンレート3％、償還期限2年）のセカンダリー価格はいくらになるか。

【解答と解説】（イメージを持っていただくのが目的なので、ラフな算出方法となっています）
　資金100万円をたとえば年利5％の預金で運用すると、1年間の金利収

入は5万円。しかし、債券をパーで買うと、クーポンの3万円（3％）にしかならないので、債券の魅力は劣りますね。

　債券の魅力が預金と同じとなるレベルを計算してみましょう。まず、1年で5－3＝2万円の差があるということは、償還期限までの2年間では4万円ですね。その差を価格で埋めるには、その分ディスカウントして96万円とします。すると、購入者は2年後の満期日に4万円のcapital gainを得ることになります。この近辺で売り買いの注文が均衡してきます。

答　96万円（100円あたり96円）近辺

　逆に、債券価格がもっと下がると、預金より有利になるので、債券を購入する人が増えて、債券価格は96万円近辺まで値上がりすることになります。このように、債券価格は市場の金利水準に左右されるのです。

（2）価格と利回りの関係
　上記の例でおわかりのように、次のようになります。

債券価格上昇＝利回り下落
債券価格下落＝利回り上昇

　この相関関係はきわめて重要なので、しっかり頭に刻んでください。

　金融記事で「国債マーケット下落」という記述があれば、価格が下落（利回りが上昇）ということです。上昇・下落について記述がある場合、価格のことをいっているのか、それとも利回りのことをいっているかを見極めることが肝心です。

基本翻訳演習

【問題】
The 30-year auction drew demand from a wide variety of buyers. Investors who were usually not associated with the long-bonds ventured out, looking for better yields despite the duration risk.

【単語と解説】
* be associated with （この場合）加わる。
* long bonds 米国30年債のこと。ちなみに、わが国の30年債（超長期日本国債）は super-long JGB。
* venture out 思い切って乗り出す（venture から意味は想像つきますね）。
* duration risk デュレーションとは、クーポンも含めたキャッシュフローで加重平均されたポートフォリオ全体の平均残存期間のこと。ここでは、超長期債券購入にともない、ポートフォリオの平均年限が長くなっていくリスクを指します。

◎第2文：investors（主）+ ventured out（述）+ looking for 以下（副詞句）ですね。そして who から long-bonds までは investors にかかる修飾句です。

　拘束期間が長いほどリターンは多いことを以前学びましたね。通常は30年といった長期物には手を出さない投資家も、より長い期間のリスクを負うことにより、クーポンのピックアップを狙い、運用利回りを上げようとしたということです。

【解答例】
　当30年債の入札は、さまざまな購入者層からの需要を集めた。30年物とは日頃縁のない投資家たちも、平均残存期間の長期化によるリスクをとりながらも、利回り向上のために、あえて入札した。

基本英作文演習

【問題】
1．強い経済指標が株価を押し上げたことにより、日本国債は下落した。
2．米国30年債の利回り（イールド）は19bp跳ね上がり、4.91％から5.10％となった。
3．（米国）財務省は、5年債、200億ドルの入札を行う予定である。
4．今回の入札は、（募集額の）1.5倍の応札に留まった。

【解答例と解説】
1．JGB prices tumbled, as strong economic data pushed stock prices.
　大切なのは、価格かイールドかを判断すること。記述がない場合は、価格が下落（利回りは上昇）したということになります。JGBの後にpricesをつけ、価格であることをはっきりさせた方が親切ですね。

2．The long-bond's yield jumped by 19 bp from 4.91% to 5.10%.
　The 30-year US Treasuryといってもいいですが、the long-bondを使うと業界通です。また、ここでは利回りが上がった（価格が下がった）といっているので、yieldとはっきり書きましょう。

3．The Treasury is expected to auction US$20bn of five-year notes.
　auctionは名詞としてのみならず、動詞としても使います（例：The Beatles' costumes are to be auctioned for charity.）。5年債は10年未満ですからnoteです。

4．The auction attracted/achieved a cover of only 1.5 times.
　a cover ofという言い方はそのまま覚えてください。the bid-to-cover-ratio of 1.5という言い方もあります。coverを動詞としてThe auction was only 1.5 times covered. といってもいいです。

必須ボキャブラリー

- 期限（maturity）、元本（principal）、クーポン（coupon）、償還（redemption）、償還する（redeem）
- 国債（government bonds）、地方債（municipal bonds）、政府保証債（government guaranteed bonds）
- 社債（corporate bonds）　⇔　金融債（bank debenture）
- 利付債（interest-bearing bonds）　⇔　割引債（discount/zero-coupon bonds）
- 額面（パー：par）、アンダー・パー（under par）、オーバー・パー（over par）
- 日本国債（JGBs）
- 米国債（US Treasurys/Treasuries）、英国債（Gilts）、ドイツ国債（Bunds）
- 米国30年債（the long-bond）　⇔　超長期JGB（super-long JGB）
- 入札（する）（auction）
- 平均残存期間（duration）

3-2 債券と金利

勘のいい読者の方は既にお気づきかと思いますが、債券の価格は市場金利に左右されるということは、金利はどう動くかを知らないと十分とはいえませんね。それでは、債券と金利の関係についてお話ししましょう。

1 長期金利の決定要因

金利と債券価格の相関関係は前節でお話ししたとおりですが、債券は長期金利（long-term interest rate）の影響を受けます。

第1章第5節「政府」のところでお話しした金融政策は、市場に流通する通貨供給量を調節することによる短期金利（short-term interest rate）水準の誘導を目的としています。日本銀行の翌日無担保コールレート、米国連邦準備制度（Fed）のFFレート、欧州中央銀行（ECB）の政策金利はいずれも短期金利の指標となり、他の短期金利に波及していきます。つまり、短期金利はその時点の金融政策の影響下にあります。

一方、長期金利は、中央銀行がコントロールすることは難しく、市場が決めていくといっても過言ではありません。さまざまな要因がありますが、次の2点を押さえておきましょう。

- 期待インフレ率
  将来インフレ予想→長期金利上昇
  将来デフレ予想→長期金利下降

- 期待潜在成長率
  経済成長を予想→長期資金需要増加→長期金利上昇
  経済減速を予想→長期資金需要停滞→長期金利下降

長期金利は、市場参加者が将来の金利をどう予想するかで決まってきます。重要なのは、予想をした時点で長期金利が動き始めるということです。2003年の夏にかけて、景気回復の期待感から、わが国の長期金利が急騰し始めたのも、記憶に新しいと思います。市場は常に将来を先読みするわけですね。

2 イールド・カーブ（利回り曲線：yield curve）

　債券の金利と年限の関係を表すグラフで、横軸に期間、縦軸に金利をとり、年限ごとの金利を結んでできる曲線のことをいいます。期間が長くなればなるほど金利が高くなっていくのを順イールド（positive yield）といい、グラフは右上がりの曲線となります。一方、金利が低くなっていくのは逆イールド（negative/inverted yield）で、その場合グラフは右下がりになります。

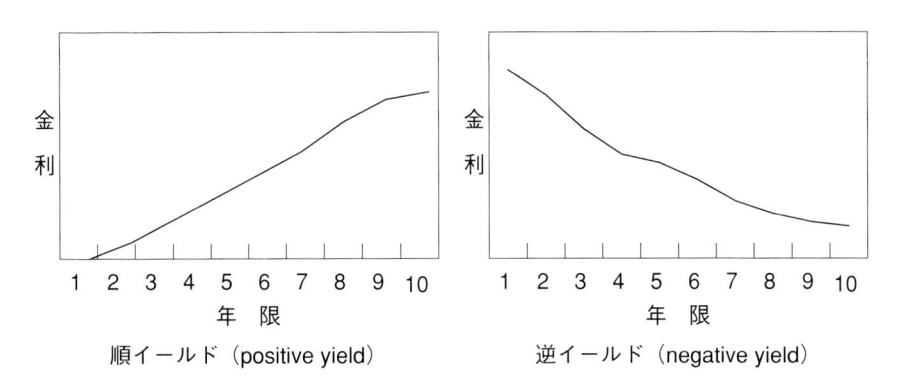

順イールド（positive yield）　　　逆イールド（negative yield）

　非常に単純化していうと、将来金利が上がると予想する人が多ければ、金利が高くなる前に長期借入れをしようとする人が増えるので、順イールドとなります。金利が下がると予想する人が多ければ、金利が低くなってから借入れをしようとする人が増えるので、逆イールドになります。通常のマーケット環境では順イールドが普通ですが、まれに逆イールドになることもあります。

投資家はこのカーブの形状をみながら将来を予測し、どのゾーンに投資すべきかを検討します。債券の記事では yield curve や curve という単語が頻出します。また、以下の2つの言い回しを頭に入れておいてください。

- **イールド・カーブがスティープ化する、立つ：**
  The yield curve steepens（名詞 steepening）
  勾配がきつくなる、つまり、右肩上がりの傾斜を強める場合

- **イールド・カーブがフラット化する、寝る：**
  The yield curve flattens（名詞 flattening）
  逆に、曲線の上がり具合が平坦化していく場合

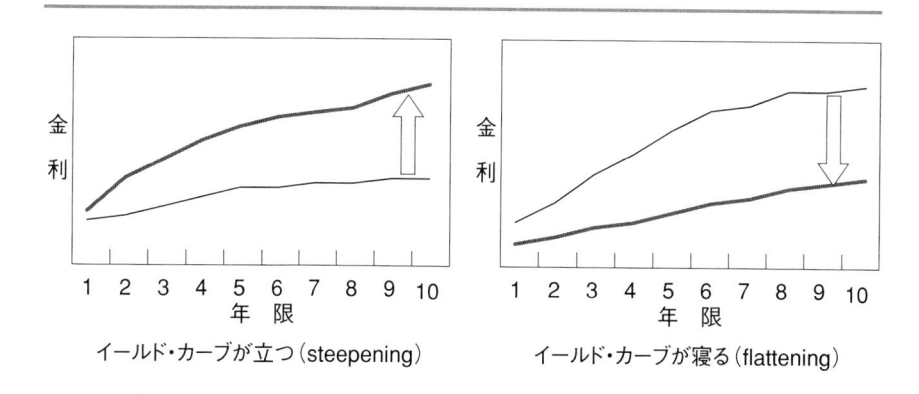

イールド・カーブが立つ（steepening）　　イールド・カーブが寝る（flattening）

　抽象的でわかりにくい部分もあったかと思いますが、問題を解きながら、必要なところは補足していきましょう。テクニカルな言い回しが多いですが、我慢してくださいね。

基本翻訳演習

【問題】
One common misperception about monetary policy is that the Federal Reserve controls all interest rates. In fact, the Fed controls only a very short-term rate, the federal funds rate. Yet central bankers would like to understand how a change in short-term rates will affect medium-term and long-term rates, because these latter rates determine the borrowing costs people and firms face, which in turn determine aggregate demand in the economy.

（出所：Federal Reserve Bank of San Francisco, *Economic Letter*, No.2003, dated June 6, 2003）

【単語と解説】
* misperception　誤解。
* latter　後者（the former（前者）、the latter（後者））。この場合、these latter rates とは medium-term and long-term rates のこと。
* aggregate　全体の、総計の。

◎最後の文の後半：borrowing costs (which) people and firms face の which が省略された文。

　短期金利は政府機関が誘導、長期金利は市場が決める、とはいっても、短期金利の変化を受けて長期金利が動き出すこともあるので、中央銀行のバンカーとしては、長期金利への影響に無関心ではいられないのです。

【解答例】
　金融政策に関するよくある誤解の１つに、金利はすべて中央銀行が統制している、というのがある。実際には、中央銀行はごく短期の金利であるFFレートを規制しているにすぎない。それでいて、中央銀行のバンカーたちは短期金利に変化が起きると、中長期の金利がどのような影響を受けるかを知りたがるのだ。中長期金利は、個人や企業の借入コストを決める、そしてゆくゆくは経

済における総体的需要を決めることになるからである。

基本英作文演習

【問題】
1. 長期プライムレートが1.85%に引き上げられた。
2. デフレ懸念が後退する（subdued）なか、長期金利が上昇し始めた。
3. イールド・カーブは、1年以内のゾーンで若干フラット化した。
4. 米国債は、すべての年限において利回りが上昇した。

【解答例と解説】
1. The long-term prime rate has been raised to 1.85%.

　長期プライムレートというのは、信用度の高い一流企業に対する長期（1年超）の最優遇貸出レートのことで、銀行の長期貸出金利の基準となるものです。引上げは raise（他動詞）がいいと思います（rise は自動詞）。ちなみに、1年以下に相当するレートは短期プライムレート（short-term prime rate）です。

2. With the risk of deflation subdued, the long-term interest rate started to rise.

　デフレ懸念後退→インフレの兆し→長期金利上昇開始というシナリオですね。「後退する」は subdued がピッタリです。和らぐ、抑えられるといったニュアンスがよく出ます。

3. The yield curve has flattened at the short end.

　金利が動くときは、すべての年限が同じ比率で上下するわけではありません。動くときは、他の年限と比べて相対的に steepening または flattening となる部分が生じるわけです。

　年限が短めのところは the short/front end（of the curve）で、通常年限が1年以内の部分を指します。年限が長めのところは the long end（of the curve）で、通常年限が7年以上の部分を指します。short-end と long-end の中間は intermediate section（range）、medium-term section などといいます。

4．The Treasury yield has risen throughout the curve.

　国債相場が何らかの要因で急落する（価格が下がる→イールドが上がる）ときなどは、曲線全体が押し上げられることもあります。この throughout the curve という言い方は、マーケット関連記事で必ず出てくる用語の1つですので、脳みそのどこかに押し込んでおきましょう。

必須ボキャブラリー

- 短期金利（short-term interest rate） ⇔ 長期金利（long-term interest rate）
- 短期プライムレート（short-term prime rate） ⇔ 長期プライムレート（long-term prime rate）
- 利回り曲線（イールド・カーブ：yield curve）
- 順イールド（positive yield） ⇔ 逆イールド（negative/inverted yield）
- 利回り曲線のスティープ化（steepening） ⇔ フラット化（flattening）
- 短めの年限（the short/front end of the curve） ⇔ 長めの年限（the long end of the curve）
- イールド・カーブ全年限において（throughout the curve）

3-3 債券（ボンド）による資金調達

　債券（ボンド）発行の流れは、主幹事獲得→起債準備（投資家マーケティング）→ローンチ→調印→払込みとなります。ちょっと角度を変えて、アレンジする投資銀行の立場からみていきましょう。

1 主幹事獲得までの道程

　金融業者にとって、発行体（ボロワー：borrower）からマンデート（mandate：ボロワーが主幹事に与えるボンドの組成委任）を取得するまでには、し烈な競争が展開されます。これは、業界を問わず、営業活動に従事する部門の宿命ともいえますね。優良ボロワーの場合、ふるいにかけた業者を一社ずつ呼び、条件提示をさせます。これを業界では beauty contest（美人コンテスト）と呼んでいます。販売戦略、販売後のセカンダリー市場でのサポート体制も含め、さまざまな点からチェックされますが、一番のポイントはコストと引受額（underwriting amount）です。

　まずコストですが、ボロワーが少しでも有利な調達をしたいと思うのは当然です。ボロワーが調達したい通貨と、発行する債券の通貨は必ずしも一致する必要はありません。ボロワーが円の調達をしたければ、円のまま国内債として発行するのがシンプルですが、ユーロ市場でドルやユーロ建てで発行して、スワップという魔法を使って円に変換することも可能です。スワップ・コストも加味して、どこの市場で調達するのが有利かを検討し、何とか販売できると思われるギリギリの条件を提示します。

　次に引受額。引受け（underwriting）とは、「われわれがお引き受けします。お任せください！」と意気込みを示すことではなく（もちろん気合も大切ですが）、万が一売れ残った場合でも業者が残額を自分で買い取る約束（コミット：commitment）をいいます。ボロワーの調達金額が大き

い場合などは、引受額が大きいほどボロワーにインパクトがありますね。1社で全額引き受ける場合は単独主幹事（sole-lead）、一業者では負担し切れない金額の場合は、シンジケーション（syndication）といって、複数の引受業者を募り、提案に盛り込みます。

　なお、引き受けることが厳しい銘柄の場合は、ベスト・エフォート（best effort）といって、オーダーが集まった金額を起債金額とする場合があります。文字通り、「最善を尽くし、集めるだけ集めてみます」ということです。

2　起債準備

　激戦を勝ち抜き、マンデートを取得した業者は、さっそく起債準備に入ります。

　払込みまでの起債日程に従い、契約書類の作成（documentation）、投資家勧誘（investor-marketing）の準備に着手します。投資家勧誘には、主幹事が作成したセールス資料に加え、弁護士事務所が作成した（仮）目論見書（prospectus、offering circular：有価証券の募集にあたって、勧誘する際等に投資家に交付する開示情報。投資家保護の観点から作成したもの。巻末資料5）が使用されます。勧誘は電話や個別訪問が中心ですが、大型や初物の起債の場合は、投資家説明会（ロードショー：roadshow）を行うことがあります。

　投資家の需要に基づき、主幹事は需要を書き込んだ一覧表（pitch book）を作成していきます。投資家需要（investor appetite/demand）、マーケット環境（market conditions）を考慮に入れ、ボンドの表面上のスプレッド（spread、国債との価格差）、諸経費を含めたコスト総額（all-in-cost）につきボロワーの了承を得たら、あとはウィンドウの開く瞬間をとらえ、ローンチ（launch）するのみです。

　一番重要なのはプライシング（pricing：価格を決定すること）です。ボンドの投資家は、通常国債を基準にリスクとリターンを判断し、投資に

値するかを決定します。したがって、クーポンはα%と表示しますが、該当年限の国債のイールド+β%（またはbp）をスプレッド（この場合国債とのイールドの差）として算出します。米国債が基準ならT+β%（TはTreasuryの略）、日本国債がベースならJGB+β%といった具合です。もっとも、市場金利に連動して利子が変わる変動利付債（floating rate note：FRN）の場合は、Libor+γbpというクーポンになるため、ローンなどのLiborベースの商品との比較検討も行います（Liborについては89ページ参照）。

3 ローンチ（launch）、調印（signing）、払込み（closing）

ローンチと同時にロイター、ブルームバーグ等のスクリーンにディール（取引）の詳細を発表し、シンジケーションを行う場合は、シ団（参加業者）に割当額（allotment）を連絡します。そして投資家に連絡のうえ、正式なオーダーをとりにいきます。ボンドの場合、ローンチ日までに投資家のオーダーがどこまで積み上がるかが勝負です。

マーケットの風評は、通常ローンチ日の夕方までにマーケットコメントとしてスクリーンに出てきます。プレスによるディールの審判は、ボロワーとの関係のみならず、主幹事の今後のビジネスを左右しかねません。適切なプライスだったか、販売は順調にいったか、全体としてマーケットの支持を得られたか、といった点についてどう書かれるか、主幹事は神経を尖らせるのです。

これを乗り越えれば、あとは調印、金銭の授受（払込み）を経て、シャンシャンとなります。

基本翻訳演習

【問題】

With investors still highly risk-averse but on the hunt for yield, Fujitsushin（Baa

1/BBB) launched its five-year, $500m deal at 112 bp over Treasuries with a coupon of 4.06%. The pricing was 10 bp <u>inside</u> Matsushiba's secondary levels. The new issue met strong demand across Europe with an order book of almost $800m. UK and French <u>accounts</u> represented one third of the book. Mr. Hitachi, General Manager, Head of Finance at Fujitsushin said, "We are now in the process of reducing our reliance on short-term bank borrowing and of shifting to a more stable long term funding in the capital markets."

【単語と解説】
＊inside（ここでは）よりタイトな（逆にワイドなら outside）。
＊accounts（ここでは）顧客。account というと銀行口座を思い浮かべると思いますが、顧客のことをこう呼びます。

新規発行するボンドは、セカンダリー市場における自社銘柄や競合他社のプライスが基準になることは、以前説明しましたね。頭が混乱しないよう、以下、整理してみましょう。

・松芝のイールドは？　⇒　富士通信のプライスは松芝より10bp タイト（inside）　⇒　4.06％＋0.1％＝4.16％
・米国債のイールドは？　⇒　4.06％－1.12％＝2.94％

耳慣れない言葉がいろいろとあると思いますが、ここでは、マーケットレポートってこんなものか、というイメージをつかんでいただければ結構です。

【解答例】
　投資家が依然極度にリスクを嫌う一方で少しでも高い利回りを追求するなか、富士通信（Baa1/BBB）は、5億ドル、5年債の価格を米国債プラス112bp（1.12％）、クーポン4.37％のレベルでローンチした。このプライスは、松芝の流通市場におけるレベルより10bp タイトであった。
　本新発債は、欧州全域から強い需要を集め、オーダーは8億ドル近くに達した。その3分の1が、英国とフランスの顧客で占められた。富士通信財務部長

の日立氏の談話によると、「わが社は、銀行からの短期借入れへの依存度を減らし、資本市場でのより安定した長期資金調達へとシフトする段階にあります」とのことである。

基本英作文演習

【問題】
1．（マーケティングの過程で）これまでの投資家の反応はなかなかいい。
2．（ディールの）プライスは、欧州の大手投資家（ニーズ）を参考に決められた（was driven by）。
3．本ディールは、マーケットで好評だった。
4．価格条件（economics）がどうしても合わず、ディールは延期となった。

【解答例と解説】
1．The investor response so far has been encouraging.
　encouraging はみなさんご存知の encourage（勇気づける）の形容詞です。ディールの反応のみならず、経済指標、企業業績など、ポジティブな場合によく顔を出すので、使えるようにしましょう。ちなみに、反対は disappointing です。
　なお、需要の積み上がり状況の良し悪しは The book is in good（bad）shape. といいます。

2．The price was driven by the major European accounts.
　マーケットでは、drive の受動態 be driven by...をよく使用します。市場の流れに逆らわず、うまく乗ることが鉄則ですが、そのトレンドを決めていく要因が by 以下に来ます。ここでは、大手投資家がドライブする方向を定めていく感じですね。
　プライスについての表現をまとめておきましょう。適切なプライスは fair price。きつめ（タイト）は、tight、aggressive、甘めは generous（例：The bond is fairly (aggressively) priced.）。投資家寄りは investor-oriented、investor-driven、investor-friendly、in favor of investors など。

3．The deal was well received in the market.

　解答例は最もポピュラーな言い回しです。The deal received a warm reception in the market. もよく使われます。主幹事にとって a blow-out success といわれれば最高です。一方、The deal wasn't well run. The deal left a bitter aftertaste.（後味が悪い）などと書かれたら、主幹事としては、しばらく立ち直れないですね。何事も評判は大切です。

4．The deal was postponed/pulled off, because the economics simply did not work.

　ボロワーの許容できるコストが実現できないことはしばしばあります。以前、窓（window）が開くタイミングを待つ、というお話をしましたが（第2章第1節「株式の特徴と種類」）、待っても「窓が開かない」場合は、ボロワーがもっとコストを払うか、とりあえず延期（中止）するか判断するわけです。このコストに合うかどうかという経済合理性を、economics という単語で表します。

必須ボキャブラリー

- 組成委任・マンデート（mandate）
- 引受け（underwriting）⇔　ベスト・エフォート（best effort）
- 単独主幹事（sole-lead）⇔　シンジケーション（syndication）
- 契約書類の作成（documentation）
- 投資家勧誘（investor-marketing）
- 目論見書（prospectus、offering circular）
- コスト総額（all-in-cost）、価格決定・プライシング（pricing）、割当（allotment）
- ローンチ（launch）、調印（signing）、払込み（closing）
- 経済合理性・価格条件（economics）
- 妥当な価格（fair price）
- 変動利付債（Floating Rate Note：FRN）⇔　固定利付債（fixed rate bonds、fixed income bonds）

Coffee Break -4- ザ・バンク

　ロンドンの金融街シティ（the City of London）のへその緒ともいえる Bank 駅を出ると、重厚な横長の建物が目に入ります。これが、"The Bank"（B は大文字）こと、英国の中央銀行である The Bank of England（BoE）です。いくら中央銀行とはいえ、「ザ・バンク」という響きは威厳がありますね。ところで、サッカーやラグビーでおわかりのように、イングランド＝イギリス（英国）でないことはご存知ですね。それなのに、なぜ英国中銀をバンク・オブ・イングランドというのか不思議に思いませんか。

　この「ザ・銀行」は、1694年、フランスのルイ14世と戦う軍資金を調達するために、政府に資金を貸し出す銀行として設立されました。その後同行は、イングランドとウェールズの銀行の株式会社設立の権利を独占し、国内最大の銀行に発展していきました。ところが、当時はどの銀行でも造幣することができたので、大量の紙幣が発行され、偽札が氾濫したうえ、発行過剰によりインフレリスクが高まったため、1844年に施行された Bank Charter Act で発券銀行を制限、さらに1921年に同行がイングランド・ウェールズの唯一の発券銀行となり、現在に至っています。英国ポンドは英国全土で使える一方、スコットランドや北アイルランドには独自の紙幣が存在します。

　スコットランドに旅行中、Bank of Scotland, Royal Bank of Scotland もしくは Clydesdale Bank の発行した Scottish Pound のお札を手にして戸惑った経験がある方もいらっしゃるかもしれません。法律上スコットランドの銀行は、いまだにお札が刷れるわけですね。私もエジンバラの ATM で下ろした紙幣は、見事にすべて Scottish Pound でした。建前

ではスコットランド以外でも使えることになっているのですが、ロンドンに戻ってきて店で使おうと思っても、実際には、ほとんど受け取ってくれませんでした。イングランドの市中銀行の窓口に持っていけば無料で換えてくれるから、と慰められても、正直言って面倒です。

　さて、このような歴史的経緯から、スコットランドの面子を立てているわけですが、上記 3 行は、発券銀行であるからといって、スコットランドの中央銀行というわけではなく、普通の民間銀行です。一方、BoE が発行するお札は English pound ではなく British pound であり、英国の金融政策を担っているのも BoE です。その意味で、中央銀行は BoE であり、正真正銘の「The Bank」なのです。なぜ私が、「英国中銀イングランド銀行」というファジーな和文名を使っていたか、これでおわかりいただけましたね。

3-4 格付け（Ratings）

　次に、債券とは切っても切れない関係にある格付けについてお話しします。株式のところで説明した株価のパフォーマンスの予測を示す格付け（第2章第2節）とは本質的に異なりますので、その違いにも注意しましょう。

1　格付けとは

　格付けという言葉はCMにも登場し、お茶の間用語としてもすっかり定着していますね。そもそも、格付けとは何でしょう。信用度を表すバロメーターだなあ、というイメージはお持ちだと思います。債券格付けとは、個々のボンドの債務履行の可能性、すなわち、利息と元本の返済が確実に返済される可能性をランク付けし、記号で示したものです。平たくいうと、ちゃんと借金を返すかどうかということ。これとは別に、債務者が債務を履行する総合的な能力を示す発行体格付けというのも存在します。

　ボンドの投資家は、国債とリスク・リターンの比較をしたうえで投資の是非を判断しますが、格付けに応じてスプレッド（国債との価格差）が違ってきます。もっとも、投資家は格付けを鵜呑みにするわけではなく、独自の分析を行うわけですし、同じ格付けでも、国籍、業種、個別企業の信用度などによってボンドのスプレッドも違ってきます。とはいうものの、格付けによって、値段の幅、つまり国債とのスプレッドの目安が決まっていきます。格付けが低いほど、国債とのスプレッドは開いていくので、その分ボロワーの調達コストは上がっていきます。

　さて、日の丸印の格付け機関（ratings agencies）といえば、格付投資情報センター（R&I）、日本格付研究所（JCR）、海外ではMoody's（ムーディーズ）、Standard & Poor's（S&P）（エス・アンド・ピー）、Fitch（フィッチ）の三羽烏が市場を牛耳っています。業界

では、前者を内格、後者を外格と呼んでいます。国内債の場合は内格で十分ですが、海外市場で起債するには、外格がないと投資対象とはなりにくいのが現実です。

国債が格下げになると、ソブリン・シーリング（sovereign ceiling：民間企業の発行する債券は国債の格付けを上回ることはないという原則）により、その国の民間企業全体に影響が及びます。それにしても、格付けというのは、裁判の判決のような重みがありますね。

2 格付けの表示方法

S&P、Moody'sの長期債を例にとると、最上級トリプルAから始まり債務不履行状態のCまたはDまであります。

AAA/AaaからBBB−/Baa3までを投資適格格付け（investment grade）、BB＋/Ba1以下を投資不適格（投機的）格付け（non-investment grade、speculative grade）といって、この境界線はきわめて重要です。投機的格付けとなると、債券では高利回り債（ハイイールド債：high yield bonds）、通称ジャンク債（junk＝がらくた）と呼ばれ、購入投資家層が違ってきます。

債券の信用度に変化があると、まず格付機関はウォッチリスト（the Watchlist。Wは通常大文字）に載せ、格付けの引上げ（upgrade）、引下げ（downgrade）の必要性を検討します（review）。

以下、S&PとMoody'sの長期債格付けと、（　）内にその標準的な読み方を記しておきます。

＊ダブルA（double A）とかトリプルB（triple B）というときは、前者はAA＋、AA、AA−、Aa1、Aa2、Aa3、後者はBBB＋、BBB、BBB−、Baa1、Baa2、Baa3のいずれかの格付けということ。
＊格付けには、positive（ポジティブ）、stable（安定的）、negative（ネガティブ）という見通し（outlook：中長期的にみて信用度がどちらの方向に向かう可能性があるかを示したもの）が加わります。BB＋with a sta-

ble outlook(ダブルBで見通しは安定的)となります。
＊両社の格付けが併記されている場合は、接続詞を入れずに続けて読みます(例：A＋＝single A plus、A3＝single A three)。

格付けとその読み方

		S&P		Moody's	
高 ▲	investment grade（投資適格格付け）	AAA	(triple A)	Aaa	(triple A)
		AA＋	(double A plus)	Aa1	(double A one)
		AA	(double A flat)	Aa2	(double A two)
		AA－	(double A minus)	Aa3	(double A three)
		A＋	(single A plus)	A1	(single A one)
		A	(single A flat)	A2	(single A two)
		A－	(single A minus)	A3	(single A three)
		BBB＋	(triple B plus)	Baa1	(B double A one)
		BBB	(triple B flat)	Baa2	(B double A two)
		BBB－	(triple B minus)	Baa3	(B double A three)
▼ 低	speculative grade non-investment grade（投機的格付け）	BB＋	(double B plus)	Ba1	(B A one)
		BB	(double B flat)	Ba2	(B A two)
		BB－	(double B minus)	Ba3	(B A three)
		B＋	(single B plus)	B1	(single B one)
		B	(single B flat)	B2	(single B two)
		B－	(single B minus)	B3	(single B three)
		CCC＋	(triple C plus)	Caa1	(C double A one)
		CCC	(triple C flat)	Caa2	(C double A two)
		CCC－	(triple C minus)	Caa3	(C double A three)
		CC	(double C)	Ca	(C A)
		C	(single C)	C	(single C)
		D	(D)		―

基本翻訳演習

【問題】
The rating agency has put the Baa1 long-term unsecured debt ratings of English Telecom under review for possible downgrade. The review is prompted by concerns that operating expenses at their new operation centre in Manchester will be materially higher than anticipated.

【単語と解説】
＊put...under review　（格付けの）見直しの対象とする。
＊for possible downgrade　格下げの方向で。格付け特有の言い回しです（⇔ for possible upgrade 格上げの方向で）。
＊be prompted by...　誘発される、促される。ここではさらっと「～を受け」と訳すといいと思います。
＊materially　（ここでは）大幅に。

　material（重要な、必須の）という単語について補足しておきましょう。ある企業が株や債券を発行する際、主幹事は、発行体に対し、直前決算期以降、投資家が知らないと不利になるような重要な変化（material adverse change）がないことを確認します。目論見書の重要な事項について虚偽の表示がある、または重要な事実の表示が欠けているときは、発行体および主幹事は、投資家に対し損害賠償責任を負う可能性があるからです。このように、material は、きわめて重要な、重大な、という意味で使われます。

【解答例】
　格付機関は、イングリッシュ・テレコム社の長期無担保社債格付け Baa 1 を引下げ方向で見直しの対象とした。これは、マンチェスターの新事務センターにおける営業費用が、予想を大幅に上回る見込であるという懸念を受けたものである。

基本英作文演習

【問題】
1．S&Pは、その債券にトリプルBプラスの長期格付けを付与した。
2．JR北日本の格付けはシングルAで、見通しは安定的である。
3．格付けが高いほど、債務不履行の確率は低い。
4．森永牛乳の長期債格付けは、S&PではダブルAマイナスだが、Moody's は1段階低いシングルA1だ。

【解答例と解説】
1．S&P assigned a BBB+long-term rating to the bond.
　債券格付けには長期格付け（1年超）と短期格付け（1年以内）があり、それぞれ long-term rating、short-term rating といいます。

2．JR North is rated single A with a stable outlook.
　「rate A at B＝(人が) A (物や能力など) を B (値段など) と評価する」という言い方は、The buyer rated the jewelry at several thousand dollars. のように使われます。したがって、文法的には is rated at single A となるべきだと思いますが、通常 at はつきません。一方、格付機関を主語にする場合は、Moody's rates JR North at single A with a stable outlook. のように at がつくのが普通です。

3．The higher the rating is, the lower the probability of default becomes.
　債務不履行（default）は頻出単語できわめて重要です。

4．S&P rates Morinaga Milk at AA−, while Moody's rates it a notch lower at A1.
　一段階というのは、a/one notch といいます。ちなみに、このように2社の格付けが異なることを split rating といいます。ただし、アルファベットの数が異なる場合のみ（例：A+と Aa3）で、プラス、マイナスの相違（例：AとA3）は split とはいいませんのでご注意ください。

必須ボキャブラリー

- 格付け（ratings）⇔ 格付け機関（ratings agencies）
- 投資適格格付け（investment grade）⇔ 投機的格付け（non-investment grade、speculative grade）
- 長期格付け（long-term rating）⇔ 短期格付け（short-term rating）
- 格上げ（upgrade）⇔ 格下げ（downgrade）
- 債務不履行リスク（デフォルト・リスク：default risk）
- 見通し（outlook）
- ソブリン・シーリング（sovereign ceiling）
- 一段階（a/one notch）
- ウォッチリスト（the Watchlist。Wは大文字）

第4章

その他

　株、債券という2つの険しい峠を越え、これからは一直線にゴールをめざします。短期金融市場（マネー・マーケット）、外国為替市場、シンジケート・ローン、M&A といった必須事項のほか、金融英語には欠かせない欧州通貨統合、ユーロ市場についても理解を深めていただきたいと思います。

　英語そのものに関しては、金融英語独特の言い回しはそれほど多くはないと思います。特に、外国為替関連についてはしっかり覚えてください。また、将来国際金融分野で働きたい、金融英語の翻訳に従事したいと思われる方は、シ・ローン契約関連の英語も自分のものにしてくださいね。

4-1 短期金融市場（Money Markets）

　株式・債券市場は、1年超の資金調達を提供する資本市場（capital markets）でしたね。これに対し、1年以内の短期資金の調達をする市場が短期金融市場（マネー・マーケット：money markets）です。それでは、さっそく本題に入りましょう。

1　短期金融市場とは

　短期金融市場で取り扱う商品としては、コール、手形、譲渡性預金（CD：certificate of deposit）、政府短期証券などです。何だか、われわれの日常生活には何らかかわりのないものばかりで、親しみが湧きませんね。金融機関だけが参加できるインターバンク市場と、事業法人などが参加できるオープン市場がありますが、いずれにせよ、われわれ個人には縁の薄いところなのです。

　しかし、金融市場にとって短期金融市場はなくてはならないものです。企業も、運転資金などの短期資金を調達・運用する場が必要ですし、金融機関の日々の帳尻には過不足が生じるので、その過不足を融通し合う必要があります。

　中央銀行は、金融システム全体としてお金の過不足が生じていないかどうかチェックしています。たとえば、その日が納税日だったり、国債の発行日だったりすると、資金は個人から政府に流れ、金融機関はお金が不足しますね。そのようなときは、政府が金融機関に資金を供給します。中央銀行は日々の資金過不足を予測し、オペによって、資金を供給したり、余剰資金を吸収したりしています。つまり、短期金融市場は、政府が金融政策の一環としての金融調節（第1章第5節「政府」参照）を行う重要な舞台でもあるのです。

2 金利

　短期金融商品の値段は金利として表示されます。それぞれのマーケットで基準金利がありますが、ここではユーロ金利について説明しておきましょう。

　ユーロ（Euro）という概念は、自国以外に預けたお金であり、その取引をする場がユーロ市場と呼ばれることは、第1章第1節「金融市場の概要」で説明しましたね。同様に、ユーロ金利とは、ユーロ市場で取引されるときに使われる金利のことをいいます。

　ユーロ市場の中心はロンドンですが、ユーロ市場は自国以外の通貨を取引するオフショア市場の総称です。実際には、ロンドンのほか、シンガポール、香港、ニューヨークなどの市場があります。わが国でも、1986年に東京オフショア市場が開設されました。

　その際、国際金融取引の指標として利用されているのがLibor（ロンドン銀行間貸し手金利：London Inter-Bank Offered Rate）です。これは、ロンドンのユーロ市場で、資金を貸し出す銀行サイドが提示するレート（貸し出す方ですから、bidではなくoffer）で、金融機関が資金調達をするときの基準金利です。ロンドン時間午前11時時点の、特定銀行のオファードレートを、英国銀行協会（BBA：British Bankers' Association）が集計して平均値を公表しています。BBAが公表するレートはBBA Liborと呼ばれています。

　東京にはTibor（Tokyo Inter-Bank Offered Rate）があるように、各市場に同様のレートが存在しますが、世界標準という意味では、Liborの存在が断然大きいといえるでしょう。欧州通貨統合後は、ユーロ圏を中心とした欧州銀行協会（European Banking Federation）によるEuribor（Euro Inter-Bank Offered Rate）という対抗馬が登場し、現在では取引によりどちらを使用するかが決定されます。一般的な傾向としては、ユーロ建て取引はEuriborベース、米ドルなど、ユーロ以外の取引はLiborベースを使用するケースが多いようです。Liborが今後どこまでthe key rate of the money marketの地位を守れるかは、市場が決めることでしょう。

ボロワーがユーロ市場においてローンによる資金調達をする場合、表面金利はLibor＋αbpと表示します。たとえば、Liborが3％、α部分が50bpであれば、借入人の支払金利は、3％＋0.5％＝3.5％となります。

基本翻訳演習

【問題】
BBA LIBOR's London base is significant：well over 20% of all international bank lending and more than 30% of all foreign exchange transactions take place through the offices of banks in London.
Banks in London can be sure that the euro BBA LIBOR rate is as representative of activity in Europe's major financial centre and many are likely to prefer it to EURIBOR in their wholesale cash and derivative contracts.

（出所：http://www.bba.org.uk/）

【単語と解説】
＊well over 20%　「20％をかなり超えている」。wellにはto a considerable extent（かなり）という意味があります。
＊the euro BBA LIBOR　ユーロ市場のユーロではなく、統一通貨のユーロ。英国銀行協会（BBA）が公表するユーロ建て取引にかかわるLIBORを指しています。
＊wholesale　法人向け（⇔個人向け：retail）。

◎本題では、LIBOR、EURIBOR等、すべて大文字表記となっています。業界ではLIBOR、Liborともに使用されていますが、金融専門誌等をみると、Libor、Euriborという表示がなされています。

◎prefer it to EURIBORで、itはBBA LIBORを指します。ここでいうEURIBOR

は、欧州銀行協会が公表するユーロ建て取引に関するレートを指します。

◎is as representative of activity は exists as representative of activity ということです。ここは元来、「取引活動を代表するものとして存在する」という意味ですが、前後の文脈を考慮して「取引活動の指標となっている」と意訳した方が、話の筋を理解しやすいと思います。

英国銀行協会（BBA）が、いじらしく Euribor に対するメリットを強調していますね。ポイントは、ユーロ（通貨）について、Euribor に対する優位性を強調している点です。本文で説明したとおり、ユーロ建て取引については Euribor を使う傾向があるので、挽回を図っているわけです。

【解答例】

　BBA Libor のロンドンにおける基盤は重要である。すなわち、国際協調融資全体の優に20％を超える取引および外為取引全体の30％を超える取引は、在ロンドンの銀行拠点を通して実行されているのである。

　ロンドンにある各銀行は、ユーロ建て BBA Libor レートが欧州の主要金融市場で取引活動の指標となっている、と思って間違いはないし、また法人向け現金およびデリバティブ取引では、Euribor よりも Libor の方がいいという市場参加者が多いようである。

基本英作文演習

【問題】
1．短期金融市場は、金融システム全体と政府間の通貨供給量の不均衡（imbalances）を調整している。
2．短期金利と為替レートは密接に影響し合う（interact）。
3．ボンドの3.2％のクーポンは、US$Libor＋30bp に相当する。
4．企業にとって、コマーシャル・ペーパーは銀行借入れの代替手段（alternative）となる。

【解答例と解説】
1．The money markets correct imbalances in the money supply between the banking system as a whole and the government.

correct imbalances の代わりに、iron out imbalances ということもできます。iron out は（困難や意見の相違を）ならす、解決するという意味の熟語ですが、しわをアイロンで伸ばして平らにするという言い方は感じが出ていますね。

2．Short-term interest rates interact closely with currency rates.

為替レートが金利の影響を受けることは次節でお話しします。さて、「影響し合う」は influence を使って、Short-term interest rates and currency rates influence each other. としても間違いではありませんが、お互いに影響し合う場合は interact を使うと便利です。

3．The bond coupon of 3.2% equates to US$Libor＋30 bp.

ボンドの投資家は、原則国債との価格差（スプレッド）をみて購入しますが、Libor ベースのプライスに引きなおして、変動金利の債券である FRN（Floating Rate Note：変動利付債）やローンなどの Libor ベースの商品と比較しようとしているわけです。

この場合、Libor は3.2％－0.3％＝2.9％だったわけですね。蛇足ですが、金融機関は国よりも信用力は低いので、Libor レートは国債よりも高くなります。

また、「相当する」は、動詞として equates to としても、形容詞として is equivalent to としても結構です。

4．For companies, commercial paper（CP）offers an alternative to bank borrowing.

コマーシャル・ペーパー（CP）は主として事業法人が発行する短期・無担保の約束手形です。代替手段は alternative がピッタリです。

必須ボキャブラリー

・Libor（ライボ）（ロンドン銀行間貸し手金利：London Inter-Bank Offered Rate）

- Tibor（東京銀行間貸し手金利：Tokyo Inter-Bank Offered Rate）
- Euribor（ユーロ銀行間貸し手金利：Euro Inter-Bank Offered Rate）

4-2 外国為替市場(Foreign Exchange Markets／Currency Markets)

　海外旅行で両替は避けて通れませんし、個人のポートフォリオにも外貨預金、外貨建てボンドなどの金融商品が加わってきている時代です。それでは、外国為替についてしっかりマスターしておきましょう。

1 外国為替市場とは

　外国為替（外為）市場は、貿易決済を円滑に行ったり、貿易に携わる企業が為替リスクを回避したりするのに重要な役割を果たしています。極端な例をあげれば、みなさんが銀行で円を外貨に両替を行うと、そこは「小売り」としての外為市場といえるのです。ただし、通常外為市場といった場合、「卸売り」のインターバンク市場（銀行、為替ブローカーなどの金融機関のみが参加する市場）を指します。「本日の東京外国為替市場の終値は…」などとニュースでいっているのは、この卸売市場のことです。

　外替市場全体の取引額は巨額で、ニューヨーク株式市場をはるかに上回る、まさしく世界最大の市場といえます。市場別にみると、取引量はロンドン、ニューヨーク、東京の順で、それぞれ市場全体の約30％、15％、10％程度を占めています。これに次ぐグループが、シンガポール、フランクフルト、香港ですが、世界の主要な都市ごとに市場はあります。祝祭日以外は地球の自転とともに24時間稼動する不夜場といえるわけです。

2 表示方法、種類、主要通貨の呼び方

（1）表示方法
①邦貨建て

外貨1単位＝自国通貨の価格で表示（例：1USドル＝110円）。

新入社員研修のとき、1ドルが110円から130円になった場合、円高か円安のどちらかわからなくなったら、ドルをリンゴと思え、と仕込まれました。この場合、リンゴ（ドル）の値段が20円上がったのですから、リンゴ（ドル）高＝円安ということですね。数学音痴の私には大変有り難い覚え方だと講師に感謝した記憶があります。読者のみなさんは私のような低次元ではないと思いますが、ご参考まで。

②外貨建て
自国通貨1単位＝外貨の価格で表示（例：100円＝0.75ユーロ）。

海外旅行をしていて両替所でこんな表示があると、一瞬考え込んでしまいますね。このときばかりは、リンゴの神通力も通用しません。ピンと来なければ、電卓のお世話になって100円を0.75で割ってみてください。

（2）種類
① TTS（telegraphic transfer selling rate）、TTB（telegraphic transfer buying rate）

まずはドルの例を使って説明します。

```
1US＄＝111.00円　　電信売相場（TTS：海外への電信送金に使用するレート）
    ↑ ＋1円                    ↑
1US＄＝110.00円　　　　　中値（市場レート）
    ↓ －1円                    ↓
1US＄＝109.00円　　電信買相場（TTB：海外からの送金を入金するときに使用するレート）
```

売り買いは銀行からみた言い方。以前 bid（金融機関からみた買い）と offer（同様の売り）という話をしたことがありますが、為替も同様に、金融機関からみて低く買って（仕入れて）高く売る（販売する）のが基本です。つまり、銀行からみた買い（TTB）は売り（TTS）より低く（安く）、

ドルの場合、2円の開き（スプレッド）があります。このほか、外貨の現金の両替、貿易為替に使用する相場など、さまざまな種類のレートがあります。

②直物レート（spot rate）・先物レート（forward rate）
　直物は、その日のレートで約定する取引です。先物は、商社やメーカーなどが、将来の貿易の決済に際し為替変動リスクを抑えるために、予め見込まれる取引の全部または一部の取引日と為替レートを決めておく取引です。

（3）通貨の呼び方
・円・米ドル・ユーロ・英国ポンド・人民元・ウォンはそれぞれ、（Japanese) yen、(US) dollar、euro、pound (sterling)、renminbi、won。
・通常定冠詞がつき、the dollar、the euro のように使います（ただし、sterling には the がつきません）。また、the single currency（単一通貨）といえば欧州統一通貨のユーロを指します。
・the greenback といえばドルのこと。ドル紙幣の地が緑色というところから来ているのでしょうね。
・たとえば、Swedish Krone はスウェーデン・クローネのように、日本語では国名＋通貨名となるケースがありますが、英語では国名ではなく原則形容詞（swedish：スウェーデンの）となります。

3 為替相場の変動要因

　株式会社の業績や将来性が反映されるのが株価とすれば、国の力を映す鏡が為替相場といえますね。変動（fluctuation）の主な要因をあげておきましょう。
（1）国内金利
　教科書的にいうと、金利が上がれば、その国の通貨の預金、債券の魅力

が増え、外国からも投資資金が流入し、為替は上がるということになります。つまり、金利上昇→通貨高、金利低下→通貨安という相関関係です。

（2）ファンダメンタルズ（fundamentals：経済の基礎的条件）

　為替にとって国内金利というのは、株式でいえば配当に相当するといえるでしょう。高配当の会社の株が魅力的なのはいうまでもありませんが、いくら配当が高くても、その企業の業績の見通しが暗ければ株は買われませんね。為替もそれと同じで、いくら金利が高くても、その国の通貨の将来性に希望が感じられなければ買われないのです。したがって、GDP、国際収支（balance of payments）などの経済のマクロ面は、金利以上に為替に大きな影響を与えます。

（3）市場介入（intervention）

　為替レートはその国の国際収支に直接的な影響を与えます。相場が政府にとって思わぬ方向に動きそうになると、ときとして介入を行うことがあります。わが国を例にとると、財務大臣の指示に従い、日本銀行が介入を行います。わが国は豊富な外貨準備高（foreign exchange reserves）を有しており、円高阻止のために大規模な円売りドル買い介入が行われているのはご存知のとおりです。

（4）マーケット動向

　たとえファンダメンタルズに逆らった動きであったとしても、ヘッジファンド（hedge fund）などの投機筋の動きは短期的には市場の流れを変える力を持つことがあります。1992年の英国ポンド急落、97年から98年にかけてのアジア・ロシア通貨危機は、彼らの動きと無縁ではありません。くどいようですが、為替に限らず、市場を知るには、投資家の動き、つまりお金の流れをつかむことが肝要です。

基本翻訳演習

【問題】

The dollar hit a three-month low against the euro yesterday. Strategists suggested upbeat Eurozone data has led investors to <u>unwind</u> <u>long</u> dollar positions. The Japanese yen <u>edged</u> higher at 106.20 against the dollar, though a more <u>robust</u> rally was <u>deterred</u> by a possible intervention by the government. The Japanese monetary authorities declined to comment whether they would step into the currency markets to <u>stem</u> the yen's rise.

【単語と解説】

* unwind　（ポジションを）手仕舞いする。原義は「ほどく、巻き戻す」。
* long　買い持ち。long US Treasuries といえば、米国債の買いポジションを保有している、という意味（⇔　売り持ち：short）。
* edge　動く。ニュアンスとしては、ゆっくり一方向に動く感じです（例：She edged a little closer to me.）。
* robust　力強い。元気一杯な感じですね。
* deter　妨げる。おなじみ prevent と同義です。
* stem　止める。さらなる拡大・膨張などを防ぐときに使います（例：The cut was bandaged to stem the bleeding.）。

単語がてんこ盛りでしたね。でも、この程度の文章で足腰を鍛えておけば、為替関係の記事は相当読みこなせると思います。

【解答例】

　昨日ドルはユーロに対し過去3カ月間で最安値をつけた。ストラテジストは、ユーロ圏の指標が改善傾向にあることから、投資家がドルの買いポジションを手仕舞いにかかった、との見方をしている。
　日本円は米ドルに対しやや上昇し106.20円をつけはしたものの、政府の市場介入があり得ることから、もう一段の高値には至らなかった。日本政府当局は、円高に歯止めをかけるべく市場介入するかどうかにつき、コメントを避けた。

基本英作文演習

【問題】
1．年初来、ユーロはドルに対し約20％値上がりした。
2．日銀が市場介入を行う気配はない。
3．日銀は昨日円売り介入を行い、ドルに対する円の上昇を抑えた。
4．欧州の政治家は、最近のドルの下落を憂慮している。

【解答例と解説】
1．The euro has appreciated around 20 per cent against the US dollar since the beginning of the year.
　上がる（強くなる）は rise（strengthen、appreciate）、下がる（弱くなる）は fall（weaken、depreciate）。A strengthened/weakened against B （AがBに対し強く/弱くなる）という言い方を覚えましょう。前置詞は against か to と覚えておきましょう。

2．There has been no signs of the BoJ (Bank of Japan)'s intervening/intervention in the market.
　逆に行う気配があるなら The Bank of Japan is likely to intervene. といえばいいですね。

3．The Bank of Japan has sold the yen yesterday to prevent the currency from strengthening against the dollar.
　受験英語で覚えた熟語って結構役に立つものですよ。ここでも prevent A from B （AがBするのを防ぐ）が大活躍です。

4．European policymakers are concerned about the recent fall in the dollar.
　心配といえば worry ですが、多少格調高く be concerned about を使いたいですね。憂慮というニュアンスを強調するには、deeply/seriously concerned としてもいいです。

必須ボキャブラリー

- 電信売相場（TTS：Telegraphic Transfer Selling rate） ⇔ 電信買相場（TTB：Telegraphic Transfer Buying rate）
- 直物（spot） ⇔ 先物（forward）
- 変動（fluctuation）
- 市場介入（intervention）
- 国際収支（balance of payments）
- 外貨準備高（foreign exchange reserves）
- 買い持ち（long） ⇔ 売り持ち（short）
- 欧州統一通貨（the single currency）
- ドル（の通称）（the greenback）

4-3 ユーロ（欧州統一通貨：euro）

　読者のなかには、ヨーロッパ大陸に渡航し、実際にユーロを使ってみるという体験をされた方もいらっしゃると思います。それでは、そのユーロという通貨についてみていきましょう。

1 ユーロ参加国（計12カ国）

　個人的には、下記のように分けると覚えやすいと思います。
- 北欧（1）：フィンランド
- 中欧（7）：ドイツ、フランス、ベネルクス（ベルギー、オランダ、ルクセンブルク）、オーストリア、アイルランド
- 南欧（4）：スペイン、ポルトガル、イタリア、ギリシャ

　欧州連合（European Union（EU））25カ国のうち、2004年5月のEU拡大（EU enlargement）新たに加盟した10カ国を除くと、不参加国は英国、スウェーデン、デンマークの3カ国。

2 ユーロ導入のプロセス

　1989年の「経済通貨同盟」（EMU：Economic and Monetary Union）への道筋を示した「ドロール報告」が発表されて以来、10年以上の準備期間を経て、1999年1月ユーロが導入され、2002年1月から紙幣・硬貨が流通するようになりました。それでは、順を追って振り返ってみましょう。大別すると、3つのステップに分けることができます。

（1）第1段階（1990～94年）：統合市場の促進

1990年：EU加盟国における資本の移動の完全自由化
1993年：ECUバスケット*の構成が決定、マーストリヒト条約発効
1994年：欧州通貨機関（EMI）設立（所在地フランクフルト）

> *ECUバスケット：ECUの各国通貨の構成を指します。大まかにいうと、ドイツマルクを30、フレンチフランを20、残りを50（英国10、オランダ10など）とし、加重平均したものをECUのレートと定めました。このように、ECUに限らず、複数の通貨を加重平均したものを、通貨バスケット（basket）と呼びます。

マーストリヒト条約において、以下の収斂基準（the convergence criteria または the Maastricht criteria）が規定されました。すなわち、

- インフレ率：過去1年間で最も安定した（低い）上位3カ国の平均値＋1.5％以内であること
- 長期金利：過去1年間で最も安定した（低い）上位3カ国の平均値＋2.0％以内であること
- 単年度財政赤字：GDP（国内総生産）の3.0％以内であること
- 政府債務残高：GDPの60％以内であること
- 為替：過去2年間、為替相場メカニズムの変動幅の範囲内で取引され、切下げ実績がないこと

そこで、各国通貨が、ECUの中心値から一定の幅の範囲内に収まるように、マクロ経済の運営が試みられました。また、各国が財政赤字の削減などを経済収斂実現に向けスタートしました。

（2）第2段階（1995～98年）：財政・金融政策面での協調強化

1995年：単一通貨名称「ユーロ」に決定、スケジュール最終決定
1998年：経済収斂基準および当初参加国（11カ国）、欧州中央銀行総裁等最終決定

フランクフルトが、欧州中央銀行（ECB：European Central Bank）の

生まれ故郷となりました。総裁は、独仏の大国出身者は見送られ、オランダ人というバランス人事が組まれました。

参加をめざす国々は、この参加基準必達に全力をあげてきましたが、ギリシャは始発電車見送りとなりました。

（3）第3段階（1999年〜）：ユーロ導入
1999年：参加国通貨の対ユーロ交換レートを固定（fixed conversion rates）、ユーロ誕生（ECU消滅）
2001年：ギリシャが参加
2002年：ユーロの通貨流通開始（各国通貨の回収）

投機を防ぐために、ユーロに対する換算レートを固定したうえで（例：1ユーロ＝1.956ドイツマルク＝6.56フレンチフラン等）、ユーロが誕生しました。実際の通貨の流通は3年後ということもあり、庶民は実感が湧かなかったのに加え、漠然とした不安を持っていました。
　そして、ついに2002年1月1日、通貨の流通が一斉に開始。3年間の十分な助走期間のお陰か、移行はきわめてスムースに行われました。

3　ユーロシステムと欧州中央銀行制度

　ユーロシステム（the Eurosystem）とは、欧州中央銀行（ECB）およびユーロ参加国12カ国の中央銀行によって構成される中央銀行制度のことです。ECBはユーロ圏12カ国の金融政策を担っており、ユーロ圏の物価安定維持を最大の目的としています。各国の中央銀行は、ECBで決定した金融政策の実行部隊という位置付けです。また、ユーロ不参加国を含めたシステムを欧州中央銀行制度（ESCB：European System of Central Banks）と呼んでいます。

4 通貨統合のメリット

米国に匹敵し、日本を上回る巨大な経済圏が出現し、下記のようなメリットを生み出しました。
(1) 為替リスクの排除
企業にとり、より安定した事業運営が行えるようになりました。
(2) 競争の促進
商品価格が同じ基準で比較されることにより、競争の原理が働くようになりました。
(3) 世界経済の安定
ドルに依存し過ぎた経済は安定さを欠きますが、ユーロの出現によりバランスをとることが可能となりました。

5 今後の課題

ユーロ導入後は、安全成長協定（Stability and Growth Pact）により、収斂基準の一部を引き続き満たす必要があるのですが、財政赤字については、基準の3％を超える国が出てきました。一方、EU拡大による新加盟国も、ユーロ参加を目指し、マクロ経済の収斂に取り組んでいます。
　欧州中央銀行（ECB）は、各国の経済状況の相違を考慮に入れながらも、ユーロ圏全体を展望した金融政策を立案するという難題に取り組んでいかなければならないのです。

基本翻訳演習

【問題】
Let me point out that the national central banks within the Eurosystem regularly monitor and analyse macroeconomic, fiscal as well as structural developments

in their respective countries. These analyses clearly enhance our understanding of euro area developments. However, given its euro area focus, it is natural for the ECB to pay greater attention to the euro area perspective in its explanations of the single monetary policy.

（出所：http://www.ecb.int/）

【単語と解説】
＊structural　　この場合は一般的な経済の構造を指しています。
＊enhance　（理解が）深まる。
＊perspective　　視点、展望。

◎最初の文：一見長く複雑そうですが、後半は monitor and analyse （〈米〉analyze）する要素が並べられているだけですね。
◎最後の文：given ＋ 名詞（または that 節）は、（推理・推論の根拠として）〜を考えると、〜ということであれば、という用法です。

　本文は欧州中央銀行（ECB）のドイゼンベルグ前総裁が2003年7月に欧州議会で行った演説の一部です。個々の国の財政政策は各国の中央銀行、ユーロ圏全体の金融政策は ECB、と釘を刺している感じです。

【解答例】
　ユーロシステムのもとで、各国の経済構造の発展同様、そのマクロ経済や財政政策を定期的に監視し分析するのはその国の中央銀行であることを、指摘しておきたいと思います。これらの分析が、ユーロ圏の発展に関する理解を促進することは明らかであります。しかしながら、欧州中央銀行としては、ユーロ圏に焦点をあてている以上、単一通貨金融政策にかかわる説明において、むしろユーロ圏全体の展望に一層の注意を払うことが当然といえるでしょう。

基本英作文演習

【問題】

1. （ユーロ）参加見込み国は、参加に際し、（経済）収斂基準を満たしていなければならない。
2. ユーロを採用しているEU加盟国は現在12カ国である。
3. ユーロ紙幣および硬貨は、ユーロ圏の市民にすぐに（swiftly）受け入れられた。
4. ユーロの本当の試練はこれからだ。

【解答例と解説】

1. The prospective countries have to fulfill the (economic) convergence criteria for entering the euro.

「参加に際し」の部分は、for an entry into the euro としてもいいと思います。経済収斂基準は economic をとって、単に convergence criteria とすることが多いと思います。

2. The number of the Member States adopting the euro is currently twelve.

EU加盟国は通常 the Member States（M、Sは通常大文字）で表します。

3. The euro banknotes and coins have been swiftly accepted by the citizens of the euro zone.

流通前には相当の混乱を予想する識者もいましたが、あっけないほどすんなりと受け入れられましたね。「すんなりと暖かく受け入れられた」というニュアンスを出したければ embraced by としてもいいと思いますね。

4. The real tests of the euro are yet to come.

試練は trial ともいえますが、ここではそれほど大袈裟なニュアンスではないので、単に tests としてみました。

また、yet の代りに still を用い、still to come としても結構です。yet には「今までのところは〜していない」という意味に、「これから先のことはわから

ない」という未来についての判断を控えるというニュアンスが加わります。still to come という場合よりも、将来どうなるかわからないというニュアンスが出ると思います。

必須ボキャブラリー

・経済通貨同盟（EMU：Economic and Monetary Union）
・欧州連合（European Union（EU））
・拡大 EU（EU enlargement）
・収斂基準（the convergence criteria または the Maastricht criteria）
・欧州中央銀行（ECB：European Central Bank）
・安定成長協定（Stability and Growth Pact）
・ユーロシステム（the Eurosystem）
・欧州中央銀行制度（ESCB：European System of Central Banks）

Coffee Break -5- ユーロ不参加国（non-euro EU members）

　EU連合に属しながら参加を見送っている国の現状について触れておきましょう。

1．スウェーデン、デンマーク
　この両国は、参加の是非を問う国民投票により否決され、通貨統合参加が当面見送られることが決定しています。両国とも、福祉低下に対する懸念に加え、ドイツ、フランス両国主導のユーロ圏経済運営に対する根強い不信が根底にあるとされています。

2．英国
　生みの苦しみを味わったドイツやフランスにとっては、英国の優柔不断な態度は、打算的でEUのリーダー格にふさわしくない行為に映ります。そんなこともあってか、ブレア首相（労働党）は、積極的なユーロ擁護派（eurofanatics）です。産業界も、全体としては不参加による競争力の低下を懸念しているといえるでしょう。一方、野党である保守党は基本的にユーロ懐疑派（euroskeptics/〈英〉eurosceptics）で、国民感情を味方につけ論陣を張っています。

　このような状況下、政府は、参加の大前提と考える経済に関する5つのテスト（the five tests）をクリアしてから国民投票に持ち込む作戦です。以下、原文のままご紹介しましょう。

（1）Would joining economic and monetary union (EMU) create better conditions for firms making long-term decisions to invest in the United Kingdom？（海外から英国への直接投資に及ぼす影響は？）

（2）How would adopting the single currency affect our financial services？（金融業界への影響は？）
（3）Are business cycles and economic structures compatible so that we and others in Europe could live comfortably with euro interest rates on a permanent basis？（景気循環や経済構造は他のユーロ圏と同様か、ユーロ圏の金利政策は問題ないか）
（4）If problems emerge, is there sufficient flexibility to deal with them？（問題が生じたとき柔軟に対処できるか）
（5）Will joining EMU help to promote higher growth, stability and a lasting increase in jobs？（経済成長・安定、雇用創出にプラスか）

　何だかYesともNoともいえそうですね。これらの前提条件に対し、2003年5月、ブラウン蔵相は、機は熟さずとの結論を出す一方、ユーロ参加の基本方針は不変、と懐疑派を牽制しました。

　英国は、1990年10月にERM（ECUを中心値として各国通貨を一定の変動幅に抑えようとする試み）に参加したものの、2年後に相場が急落し、変動幅のレンジに収まりきれず、離脱に追い込まれたという過去があります。これは、景気循環（好況と不況のサイクル）が他国と違っていたにもかかわらず無理に参加したことが要因の一つとされているだけに、景気循環に敏感です。金融政策を欧州中央銀行（ECB）に委ねた場合、どこまで同国の個別事情を配慮してもらえるのかという疑念が根底にあります。

　要は、英国経済はユーロ圏よりも良好であり、慌てて参加する必要はなく、そもそもユーロというシステム自体が機能するのか、もうしばらく様子をみた方がいいというのが本音なのではないでしょうか。

4-4 シンジケート・ローン(syndicated loans)

わが国でも、大企業向けに始まり、中堅企業向けにまで広がりをみせ始めたシ・ローン。国際金融関連契約の基本事項を確認する意味でも、ちょっと欲張って、契約まで踏み込んでみましょう。

1 シンジケート・ローン (syndicated loan) とは

銀行が通常貸し出すローンは、借入人が金融機関と個別に契約を結ぶもので、相対方式、バイラテラル・ローン（bilateral loans）と呼ばれています。これに対し、協調融資、シンジケート・ローン（略してシ・ローン*）は、一つの銀行では負担しきれない巨額の融資が必要とされる場に、複数の銀行がシンジケート団（略してシ団：syndicate）と呼ばれる融資団を組成することによって実現する融資の方式です。

> *「シ・ローン」はわが国特有の言い方。なお、英語は syndicated loan（シンジケートされたローン）。

2 組成のプロセス

シ・ローン提案（proposal）のプロセスはボンドの場合と同じです（第3章第3節「債券による資金調達」）。beauty contest を勝ち抜き、めでたくマンデート（組成委任）を取得した主幹事は、弁護士に契約書作成を依頼するとともに、さっそく引受銀行を固めます。この引受銀行が融資団組成（general syndication）の幹事銀行となります。幹事銀行は、シンジケーション・リストを作成、ボロワーにリストをみせ、了承が得られたらローンチ（launch）です。ローンチとともに融資団組成の作業に入ります。リストアップした銀行にインビテーション（invitation telex）と呼ばれる

案内状を送ります。興味を持った銀行は、より詳細な資料である条件概要書（インフォメモ：information memorandum）を主幹事に請求します。これは、ボンドでは目論見書に相当するものですね。メモを受領した銀行は、期限（通常2～3週間程度）までに参加（participation）の是非を検討し、コミット（commitment、参加意思表示）か謝絶（decline、不参加）かを回答します。回答が出揃ったら、割当額（allocation、allocated amount）を決め、調印へと進みます。調印式は、シ・ローン契約書にサインをし、ボロワーが幹事団と組成の喜びを分かち合う瞬間であり、特に主幹事で組成に苦労したディールのときは、喜びもひとしおです。すべてが終了すると、金融・経済紙にローン・ファシリティの概要および幹事団・参加銀行を列挙した広告を載せたり、同様の盾を作って、ボロワーと参加銀行に配布することがあります。形が長方形で墓石に似ていることから、墓石広告（tombstone）と呼ばれています。

以上を図で表すと、次のようになります。

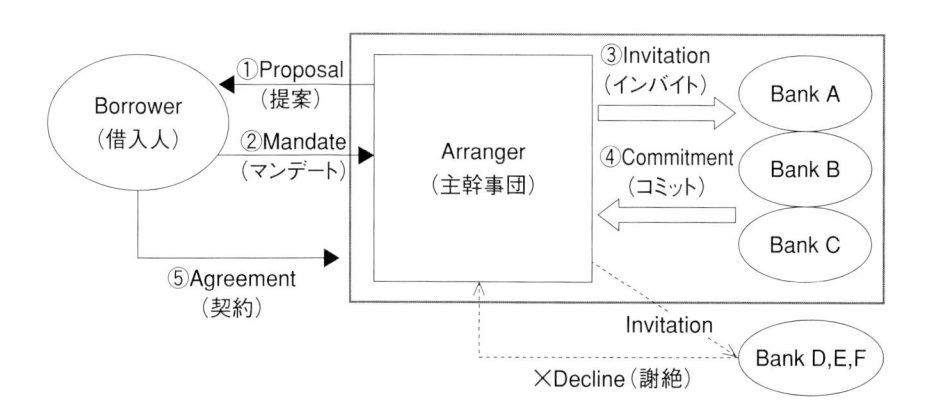

なお、ユーロ市場でのシ・ローンで貸出金利の基準となるのは、第1節「短期金融市場」でお話ししたLibor、Euriborであり、この基準金利にボロワーの信用度等のリスクに応じたスプレッドが上乗せされます。

3 契約書について

やや専門的になりますが、ここで国際金融の契約に共通ともいえるエッセンスについて、簡単に触れておきます。世界標準といってもいいものなので、概略だけでもつかんでおきましょう。

(1) 前提条件・先行条件 (conditions precedent)
①趣旨
貸出しの大前提となる事項を確認。
②内容
一定の条件*が充足されなければ貸出しは行わないという趣旨。

> *会社の謄本、署名権限者の確認
> デフォルト条項に該当する事項なし

(2) 事実の表明とその保証 (representations and warranties)
①趣旨
顧客の権利能力・信用状態には支障がないことを確認。事実に反していた場合 (misrepresent or untrue) は貸出中止 (suspend)。
②内容
顧客が銀行に対し、一定の事由*につき表示し (represent)、担保または保証する (warrant)。

> *会社は正当に設立され有効に存続
> 契約を締結・履行する行為能力を有し、必要な許認可取得済み
> 前期決算後、重大な影響を与える変化 (material adverse change) はなし
> (直近決算期の財務諸表は入手するが、その後の信用状態の把握は限定的なため)
> デフォルト条項に該当する事項なし
> 借入れに支障をきたすような裁判等の行政手続きは存在せず

(3) コベナンツ・制限条項 (covenants)
①趣旨
無事完済してもらうため、借入人に一定の協力を確約 (undertaking)

させる。銀行は借入人の経営内容等につき、相当程度の発言権を持つことになる。

②内容

重要なのは下記の2項目。

- パリパス条項（Pari Passu clause。語源はラテン語で、「同等の」の意）

  本貸出しが少なくとも他の無担保債務に劣後（subordinate）することがないことを維持。

  ［例］The obligations of the Borrower under this Agreement will rank pari passu with all other unsecured obligations of the Borrower.

- 不担保約款/ネガティブ・プレッジ（negative pledge）

  銀行の同意なくしては他の債権者に対していかなる担保権をも設定しないということ。

  ［例］The Borrower will, without the prior written consent of the Bank, not create or permit to subsist any mortgage, ...on its assets or revenues.

このほか、決算諸表などの提出義務づけ、資産譲渡制限などあり。

（4）期限の利益喪失条項（events of default）
①趣旨

回収に懸念が生じる、あるいは約束を履行しない事態が生じたときは、ただちに返済を要求。

- 期限の利益喪失：契約上の期限までは借入れを行うことができるという利益を、借入人が失うこと。

②内容

以下の事態が生じたときに、期限の利益を喪失。

- 信用力悪化：支払遅延（本契約あるいはそれ以外の契約：cross default*）、担保差押、倒産等
- 約束不履行：事実の表明と保証、制限条項等の規定に反した場合

　　＊クロス・デフォルト条項（cross-default clause）：本契約以外のローンに支払い遅延（default）が生じたときは、本件についてもクロス（cross）オーバーされて、利益の期限が喪失されるということ。パリパス条項があるので、当然といえば当然ですね。個人のように、住宅ローンはちゃんと返済するけどカードローンは借りっ放し、などという裏技は通用しないのです。

いかがでしたか。要は、銀行として、ちゃんと貸したお金が返ってくるように牽制球を投げ続け、返済が危ぶまれるとき、約束を守らなかったときは、いつでも試合終了に持ち込むことができるよう準備しておく、ということです。

以上の事項を頭に入れて巻末のシ・ローン提案書の事例（巻末資料8）を読んでいくと、霧が晴れていく感じがすると思いますよ。是非トライしてみてください。

基本翻訳演習

【問題】
Mandated arrangers Nateast and Osaka Mitsui have received an overwhelming response in general syndication for the US$500m three-year loan for Republic of Poland. Sixteen banks have already committed to the facility, which is due to close later this week. The facility is unlikely to be upsized and commitments will probably be scaled back.

【単語と解説】
＊overwhelming　圧倒的な。
＊commit　コミットする。参加の意思表示をすること。
＊facility　融資枠。

＊close　ここでは、general syndication の期限が到来し、締め切ること。
＊upsize　増枠する（金額を増やすこと）。反対は downsize。
＊scale back　（コミットした金額に対して）減額となる。ボロワーは必要な資金だけ調達するという方針のようですね。

　commit という単語を英和辞典で調べると、真っ先に出てくるのが、「（罪・過失などを）犯す」。例として commit a crime/suicide と続きますが、これではしっくり来ないですね。それでは、名詞の commitment はどうでしょう。「誓約、約束、公約」となっていますね。金融の世界で commit というのは後者をイメージしてください。

　シ・ローンにおけるコミットメントは、「参加意思表示」と訳されますが、実はこのコミットという言葉は重いのです。「コミットする」と答えた場合、たとえ法的には効力は生じていなくても、後で断ったりしたら、ちょっとオーバーな言い方かもしれませんが、この世界では間違いなく信用を失います。もっとも、マーケット環境が急激に悪化することもあり得るので、subject to market conditions（マーケット状況次第）というリスク・ヘッジはしてありますが。

【解答例】
　幹事銀行のナットイーストと大阪三井は、ポーランド共和国向け5億ドル、3年物ローンの融資団組成に際し、きわめて良好な反応を得た。16の銀行が既に融資参加の意向を表明しているが、今週後半にも締め切られることになっている。融資が増枠されそうな気配はなく、コミット額はおそらく減額となろう。

基本英作文演習

【問題】
1．ボロワーはビッドにより、3行に候補を絞り込んだ。
2．みずの銀行は、今度のディールのマンデート（組成委任）を手にした。
3．ディールは先週ローンチされ、シンジケーションに入った。

4．進行中（準備中）のディールはたくさんある。

【解答例と解説】
1．The borrower shortlisted three banks in the bidding.
　beauty contest で候補を絞りこむ場合に、shortlist という単語を使います。名詞になったり動詞になったり、変幻自在です。The borrower narrowed down to three banks...としても結構です。狭めていく感じが出ますね。

2．Mizuno Bank has won the mandate for the forthcoming deal.
　win には、「勝つ」だけでなく「獲得する」という意味があります（例：win market shares）。マンデートを主語にして、The mandate has been awarded to Mizuno Bank. ということもできます。

3．The deal launched to general syndication last week.
　シ・ローンならではの言い回しです。一般参加という日本語もそこから来ています。

4．There are many deals in the pipeline.
　「パイプラインのなかにある」という表現がユニークですね。これも決まった言い方です。

必須ボキャブラリー

・相対ローン（bilateral loans）　⇔シンジケート・ローン（syndicated loans）
・インビテーション（invitation telex）
・インフォメモ（information memorandum）
・一般参加（general syndication）
・増額（upsize）　⇔　減額（downsize）
・墓石広告（tombstone）
・コミットメント（commitment）
・割当額（allocation、allocated amount）

- 絞り込んだリスト（shortlist）
- 前提条件・先行条件（conditions precedent）
- 事実の表明とその保証（representations and warranties）
- 重大な影響を与える変化（material adverse change）
- コベナンツ・制限条項（covenants）
- 確約（undertaking）
- パリパス条項（Pari Passu clause）
- 不担保約款/ネガティブ・プレッジ（negative pledge）
- 期限の利益喪失条項（events of default）
- クロス・デフォルト条項（cross-default clause）

4-5 M&A（Mergers & Acquisitions）

　M & A はここ数年低迷していましたが、世界経済の回復とともに再び活発化する兆しが出てきました。M&Aは大変ディープな世界ですが、ここでは、さらっと雰囲気を味わっておきましょう。

1 M&A とは

　さて、M&Aは合併（mergers）と買収（acquisitions）からなる合成語ですが、目的によって、大きく2つに分けることができます。

- **財務的 M&A（financial M&A）**
  金融的利益を上げることを目的に、企業あるいは事業部門を売却すること。

- **戦略的 M&A（strategic M&A）**
  事業の再構築（restructuring）を目的に、買収、合併、あるいは事業分離（divestiture）を行うこと。divestiture を加え、M&A&D という言い方もあります。

　1980年代のウォール街では、あの映画『ウォール街』で描かれているような企業の乗っ取り屋（corporate raider）による大規模な乗っ取り合戦が展開されていました。彼らは、資産価値に比べて株価が割安な会社をターゲットとし、LBO（leveraged buyout：被買収企業の保有する資産・将来の収益を担保にした借入金による買収）という手法を用い、少ない手持ち資金で株を買い集めます。乗っ取りに成功すると、不採算部門などを売却し、市場価値を高めて売り抜き、利益を上げるのです。

一方、迎え撃つ被買収企業（acquired company）の方も、流れに身を任せているわけではなく、防衛手段（takeover defense）を考えます。具体的には、毒薬条項（poison pill）といって、新株引受権を既存株主に安く手に入るようにしておく等、乗っ取る側が不利益をこうむるような措置を定款に盛り込んでおいたり、黄金の落下傘（golden parachute）といって、役員に破格の退職金を付与することにして買収を諦めさせたりするなどの手法が利用されました。

　米国のM&Aと聞くと、このような財務的M&Aの狩猟民族的な部分が強調され、われわれ農耕民族はつい構えてしまうわけですが、必ずしもそうではありません。ウォール街でも、1990年代に入ってからは、戦略的M&Aが増えていきました。

　英国では、戦略的M&Aの一手段として、MBO（management buyout）という事業分離の手法が定着しています。簡単にいうと、子会社や事業部門の現経営陣が、その部門を買い取り、事業を継続させるという手法です。買い取る個人の資力には限界があるので、不足分は銀行やベンチャー・キャピタルから調達します。よそに身売りされるくらいなら自分で買うという消去法的な理由だけではなく、自分が手がけてきた事業ならやっていけるというプロフェッショナリズム、起業家精神があってこそなし得ることといえるでしょう。自分から会社に対しMBOを仕掛けるケースがあることがまさにその証といえます。

　翻って、わが国では、バブル崩壊後の長引く不況で、企業は淘汰の波にのみ込まれ、事業の再構築を迫られました。そして、企業の合併・買収、事業分離・提携・統合といった言葉が、新聞の見出しを飾るようになりました。

　さて、企業の経営権を握るには、一定比率以上の株式を取得する必要がありますが、上場企業の株式を証券取引所以外で取得するために、不特定多数の株主に対し、公告により株券の買付けを行うのがTOB（takeover bid：株式公開買付）です。具体的には、買付けを行う会社が、趣旨（戦

略、相乗効果（synergy effect）等）、目標株式数（比率）、買付価格（例：過去3カ月間の終値平均＋20-40％）、買付期間（通常1カ月程度）などを公表し、株式を集めていきます。わが国では、米国流の敵対的買収（hostile takeover：対象企業経営陣の合意を得ずに行う買い集め）は市民権を得ていませんが、相手企業の同意を得たうえで行うTOBについては、抵抗がなくなりつつあると言えそうです。

2 M&Aのプロセス

ごく簡単にみておきましょう。かいつまんでいうと、戦略立案→ターゲットの選定（スクリーニング：screening）→買収基本合意→精査（デュー・デリジェンス：due diligence）→価値評価（valuation）・買収条件交渉→売買契約締結・クロージング（closing）というプロセスを経ることになります。

まず、基本合意ですが、letter of intent（趣意書、基本合意書）にて、基本条件、スケジュール等の基本的な事項を確認し合います。letter of intentは本契約に先行する仮契約的なもので、通常は法的な拘束力を生じるものではありません（non-binding）が、これにより道義的・心理的な効果が期待できます。同時に守秘契約（confidentiality/non-disclosure agreement）を締結します。これは、当事者に基本合意の存在そのものおよびその合意内容を他に漏洩しない義務を課すもので、法的拘束力のある（binding）正式な契約です。

次に、デュー・デリジェンスといって、被買収会社につき、実地検査等を通し詳しく調査します。そして、価値評価を行って適切な買収価格をはじき、価格交渉を行います。そこで両当事者が合意して契約となるわけです。このプロセスにおいて、投資銀行は当事者一方のアドバイザーとして、助言を行います。

基本翻訳演習

【問題】

The due diligence stage is one of the most important parts of the M&A transactions. The acquirer requests the target to provide copies of all of its material contracts, tax returns and other important business records. This enables the acquirer to judge whether or not there are legal, financial, or business problems with the target.

【単語と解説】
* due diligence　デュー・デリジェンス。元来法律用語で、責任の有無の判断基準となるもの。問題となっているそのケースについて、通常人ならば行ったであろう注意または努力を、当人が払ったかどうかを判断し、当人に責任があるかないかの判定を行います。
* acquirer　買収する人、買収会社。
* material　重要な（第3章第4節「格付け」基本翻訳演習の解説参照）。
* tax return　納税申告書。

　デュー・デリジェンスの重要性について記述した文章です。デュー・デリジェンスというのは、特にM&Aに特有のものではなく、投資対象となるものに対して行うものです。資金調達時に主幹事が投資家保護の観点から行ったり、投資家が投資対象となる会社・ファンドの運用会社などに対して直接行うこともあります。

【解答例】
　デュー・デリジェンスの段階は、M&A取引において最も重要な部分の1つである。買収会社は、ターゲットとなる会社に対し、すべての重要な諸契約書、納税申告書、およびその他の重要な営業上の記録文書について、その写しを提供するように要求する。これにより、買収会社は、対象会社が法律、財務、あるいは営業面で何か問題を抱えていないかを判断することができる。

基本英作文演習

【問題】

1. 金融会社（financial buyers）による事業会社の買収がより一般的になってきた。
2. リーマン・シスターズは全日航の会社の価値にかかわるアドバイスを行った。
3. 両社の株主は合併を承認した。
4. 合併した会社は、米国での存在感の一層の高まりによって便益を得ることが期待される。

【解答例と解説】

1. Acquisition of operating companies by financial buyers has become increasingly common.

　financial buyers というのは、プライベート・エクイティ、ベンチャー・キャピタル、LBO ファンドなど、買収案件を投資対象としている業者を指します。自社の事業展開のために買収を行う strategic buyers に対する用語です。

2. Lehman Sisters advised All Japan Airlines on the valuation of the company.

　会社の価値をいくらにするかは最も利害が対立するところの1つですね。「AにBにかかわるアドバイスを行う」は advice A on B となります。

3. The shareholders of both companies approved the merger.

　合併には臨時株主総会の承認が必要ですね。「承認」は素直に approve を使いましょう。

4. The combined company is expected to benefit from a stronger US presence.

　benefit from... という表現は、The deal benefited from recent positive market sentiment. のように、M&A に限らずよく出てきます。He benefited from his past experience.（彼は過去の経験が役に立って得をした）のように、金融以外でも使えます。

必須ボキャブラリー

- 財務的 M&A（financial M&A）　⇔　戦略的 M&A（strategic M&A）
- 事業の再構築（restructuring）
- 企業の乗っ取り屋（corporate raider）
- レバレッジド・バイアウト（LBO：Leveraged Buyout）
- マネジメント・バイアウト（MBO：Management Buyout）
- 被買収企業（acquired company）
- 防衛手段（takeover defense）
- 事業分離（divestiture）
- 公開市場買付（TOB：takeover bid）
- 相乗効果（synergy effect）
- 敵対的買収（hostile takeover）
- ターゲットの選定（screening）
- 精査（デュー・デリジェンス：due diligence）
- 価値評価（valuation）
- 趣意書、基本合意書（Letter of Intent）
- 守秘契約（confidentiality/non-disclosure agreement）

4-6 ユーロ市場（Euromarkets）

　ユーロ市場とは、ある国の通貨で表示された取引が、その通貨の発行国以外で行われる市場でしたね。それでは、どうしてロンドンがユーロ市場の中心になっていったのかを振り返ってみたいと思います。

1　ユーロ市場の歩み

(1) ユーロドルの誕生

　第二次世界大戦終了後、米国が世界最強国として台頭し、それまで世界の基軸通貨であった英国ポンドはドルにその地位を譲りました。ところが、1950年代、ドル預金の流れに異変が起こり始めました。すなわち、

・米国の国際収支は赤字続き　⇒　国外（オフショア）、特に欧州にあるドルは増加
・米国当局が、預金に上限金利を適用
・米ソ冷戦の影響で、ソ連や東欧諸国は、ニューヨークの銀行に預けたドル預金の凍結を恐れ、欧州の銀行にシフト

といった理由で、米国からヨーロッパに流れるドルが増え始めたのです。そこに目をつけたロンドンの銀行家たちは、米国外の銀行に預けられた短期のドル預金・貸出しを扱うビジネスを始めました。いわゆるユーロドル市場の誕生です。時流に乗ったビジネスは爆発的な急成長を遂げました。

(2) ユーロボンド市場の誕生

　欧州投資家の間に、短期の預金のみならずドルの長期運用手段を求めるニーズが高まってきたのを背景に、1963年7月、イタリアの高速道路管理

会社Autostrade向けにユーロドル債第1号案件がアレンジされました。その直後、増え続ける国際収支の赤字に終止符を打つべく、米国政府は、海外投資家に対し、ボンドの利息に30％の源泉税を課すことを決定しました。1929年の大恐慌の経験をふまえ、米国政府が市場管理の姿勢を強化したため、市場関係者に不満が積もりつつあった矢先であり、同税制は、ニューヨーク市場にとってボディーブローとなりました。ニューヨークの関係者は、The game was up for NY as an international capital market. といって肩を落としたそうです。

　気持ちの切り替えも早い米系投資銀行は、大西洋を越えて欧州の前線に部隊を集結させ、ソブリン（sovereign、国、政府機関）や国際機関（supra-nationals。supernationalsではありません）などを相手に、ドル債発行のアレンジを始めていきました。

　さて、いくらロンドンが短期のユーロドル市場の中心になりつつあったとはいえ、資本市場であるボンド市場も自動的に同地に集約されていったわけではありません。パリやチューリッヒといった欧州大陸の市場も候補の１つだったのです。しかしながら、決定的要因は当局の姿勢の差。英国の当局はこの動きを歓迎し、税や規制を課さず、市場参加者の自主性を尊重したのでした。

　このような環境下、ユーロボンド市場もロンドンに比重が移っていきました。通貨についても、ドルに加え、ポンド、ドイツマルク、フレンチフランなどの欧州主要通貨による起債が徐々に増えていきました。特に、1999年1月の欧州通貨統合を機に、それまで自国通貨・自国銘柄へのこだわりが強かったドイツやフランスなどの主要機関投資家が、国境を越えて資金を運用するようになったために、投資家の裾野が一気に広がり、より奥行きのある市場となりました。

2 今後の展開

　前段のように書くと、ニューヨークなどの米国市場はロンドンに劣後するような印象を与えてしまうかもしれませんが、実はそうではありません。ニューヨーク短期金融市場は、ドルの短期調達・運用の場として、非居住者も参加できる巨大な市場です。また、債券、株式などの資本市場も、一国の国内市場（domestic markets）としては、ロンドンや東京の規模を上回る世界最大の市場です。規模のみならず、米国市場は、さまざまな点で世界をリードする先駆者的な役割を果たしてきました。まさに、a huge, active, and innovative domestic market といわれる所以でしょう。

　今後、世界の市場がどのような展開をみせるかは、市場のみぞ知る、といえるでしょう。フランクフルトやパリといった欧州大陸の市場も、ユーロという通貨を背景に、ロンドンの座を奪うべく、勢力拡大を図っています。また、アジアでは、香港、シンガポールの動向も気になりますし、中国経済の動向によっては、上海あたりが急浮上して来るかもしれません。グローバル化が進むなか、マネーの動きはこれまで以上に速くなっています。前述の税制がユーロボンド市場発展の起爆剤になったように、ちょっとしたことが契機となって大きく流れが変わることもあり得ると思います。それを占うのは大変面白いのですが、本書の趣旨から外れてしまうので、読者のみなさんにお願いしたいと思います。

基本翻訳演習

【問題】

Supranationals are owned by more than one state. It means investors buying a supranational bond would have diversified exposure to sovereign shareholders. As the performance of the sovereign market has been subject to discrete sovereign credit events, supranational bonds have been bought as preferred alternative to governments.

【単語と解説】
* diversified　（形容詞）多様化した。ここでは、ポートフォリオの投資対象を分散している状態。
* sovereign　国、政府機関。
* subject to...　～の影響を受ける、～次第の（subject＝科目ではありません）。
* discrete　個々の。
* alternative　代替。
* governments　ここでは、国債、政府機関の発行する債券等、国のリスクとみなし得る債券全般を指します。

　国際機関の発行する債券は、信用度（credibility）、流動性（liquidity）の面で、ある一国が単独で発行する債券よりも安全な投資対象として、投資家のポートフォリオに組み込まれてきました。特に、マーケットが信用不安に陥り、質への逃避（flight to quality。第1章第2節参照）現象が起こる場合に、国債とともに、solid triple A rating の銘柄として好まれます。

　ボンドの発行体として登場するのは、主に下記の先です。いずれの先も、格付けは Aaa／AAA（triple A）です。

〈世界規模〉
（1）**国際復興開発銀行**（IBRD：International Bank for Reconstruction and Development）
　世界銀行（World Bank）という名で知られていますが、正式には IBRD と IDA（国際開発協会）の総称が世銀。主要業務は、途上国に対する融資。
（2）**国際金融公社**（IFC：International Finance Corporation）
　世銀グループの1社。主として高リスクのセクターや諸国の民間セクター投資を支援。

〈地域限定〉
（3）**欧州復興開発銀行**（EBRD：European Bank for Reconstruction and Development）
　東欧、中央アジアをテリトリーとする支援機関。

（4）**欧州投資銀行**（EIB：European Investment Bank）
　EU連合の支援機関。
（5）**北欧投資銀行**（NIB：Nordic Investment Bank）
　ノルディック諸国（デンマーク、スウェーデン、ノルウェー、フィンランド、アイスランド）が共同出資する同地域の投資促進機関。
（6）**アジア開発銀行**（ADB：Asian Development Bank）
　アジアのプロジェクトを手がける機関。

【解答例】
　国際機関には、複数の国が出資している。つまり、国際機関の債券を買おうとする投資家は、株主である国々に投資リスクを分散したことになる。ソブリン市場は、その国の信用にかかわる出来事に左右されてきたなかで、国際機関の債券は、ソブリン物に代わる対象として好んで買われてきた。

基本英作文演習

【問題】
1．米国市場は規制が厳しかった。
2．1960年代初めに、市場参加者はロンドンに注目し始めていた。
3．英国の銀行のなかには、激しくなる競争についていけなくなるところも出てきた。
4．いずれ市場のグローバル化が起こるだろう。

【解答例と解説】
1．The US market was restrictive.
　「規制が厳しい」はrestrictiveの一語で表現できます。名詞は規制（restriction）。反対の動きは、規制緩和（deregulation）、自由化（liberalization/〈英〉liberalisation）ですね。

2．In the early 1960s, market participants started focusing on London.
　「注目する」は、pay attention to、take notice ofあるいは単にwatchを使うこ

128

ともできますが、ここでは、戦略としてロンドンに照準・焦点を合わせる、という意味が含まれているので、focus on がピッタリだと思います。また、started focusing... は、started to focus... と英訳しても結構です。

　begin、start、continue など起動、継続を表す動詞は、その後に進行形でも、不定詞でも使用できます。ただし、これらの動詞が進行形のときは、その後に不定詞が好んで使用されます（例：It is beginning to rain.）。

3．Some of the UK banks were unable to keep up with the increased competition.
　直訳しようとせず、解答例のように be unable to を使う方がスマートだと思います。「ついていく」は受験英語でおなじみの keep up with が使えますね。keep pace with を使ってもいいでしょう。catch up でも間違いではありませんが、遅れていた分を取り戻すというニュアンスなので、keep up（pace）の方がベターです。

4．Globalization/globalisation of markets will eventually occur.
　「いずれ」を「結局は」ととらえ at the end of the day、または「早晩」と読みかえて sooner or later としてもいいでしょう。

必須ボキャブラリー

・国際機関（supranationals）
・国、政府機関（sovereign）
・国内市場（domestic markets）　⇔　国際市場（international markets）
・規制（restriction）、規制が厳しい（restrictive）
・規制緩和（deregulation）、自由化（liberalization/〈英〉liberalisation）
・グローバリゼーション（globalization/〈英〉globalisation）

付録　金融英語　表現力増強ボキャブラリー100

　金融英語を実践で読み、書き、聞き、話すには、動詞（句）、形容詞、副詞を絡めたさまざまな言い回しを覚えて身につけていくことが不可欠です。下記の語彙のなかで、金融英語独特のものはごくわずかで、ほとんどが英語全般に共通するものです。これらの語彙が、実際にどのような場面でどのように使われるのかということを、体に染み込ませることが重要です。本書には、無理のない自然な形で本文の随所に重要表現が盛り込まれていますが、復習の意味も兼ねて、以下の表現をチェックしてみましょう。

1．活気づける：encourage, buoy（buoy：ブイ、浮標。浮かんでくる感じ）

Market sentiment **was buoyed by** optimism about Turkey's entry into the European Union.

市場の心理（センチメント）はトルコのEU加盟に関する楽観的な見方により活気づいた。

2．勢いが出てくる：gain momentum　⇔　勢いを失う：lose momentum

The market has **gained**(**lost**) **momentum**.

市場の流れはポジティブだ（ネガティブだ）。

3．上向く、改善する：pick up

The market sentiment has **picked up**.

市場の心理（センチメント）は改善した。

4．～を上回る：outperform, outstrip　⇔　下回る：underperform

German bonds **outperformed**(**underperformed**) the eurozone market last year.

昨年ドイツの債券は、ユーロ圏の市場のパフォーマンスを上回った（下回った）。

5．上方修正する：revise upward ⇔ 下方修正する：revise downward
The Treasury **revised upward**(**downward**) their growth forecasts.
財務省は成長見込みを上方（下方）修正した。

6．下支えする：underpin, support（下にピンを刺して支える感じ）
The news **underpinned** the yen.
そのニュースは円相場を下支えした。

7．持続する：sustain
The current momentum in the market appears to be **sustained**.
現在のマーケットの勢いは、持続しそうな気配である。

8．安定する：stabilize（〈英〉stabilise）(cf. 不安定になる：become unstable)
Global stock markets have enormously **stabilized** over the past six months.
世界の株式市場は、ここ6カ月の間、非常に安定してきた。

9．勢いを失う：falter, fade（＝lose momentum）
Sooner or later, the current Nikkei rally will **falter**.
遅かれ早かれ、現在の日経平均の上昇は勢いを失うだろう。

10．不安にさせる：unnerve（nerve（神経）の派生語）
XYZ's disappointing earnings have **unnerved** investors.
XYZ社の期待を裏切る収益は、投資家を不安にさせた。

11．後退する：give ground
Nikkei **gave ground** for a third day.
日経平均は3日連続で下がった。

12．先細りする：tail off
Trading volume on Tokyo Stock Exchange has been **tailing off**.
東京証券取引所の出来高は先細りしている。

13. 悪化する：deteriorate
The company's performance has **deteriorated** during the current fiscal year.
その会社の業績は今期悪化した。

14. 引きずられる：be dragged down（パソコンのドラッグをイメージ）
Frankfurt **was dragged down by** technology stocks.
フランクフルト市場は、テクノロジー株に引きずられて下がった。

15. 相場が崩れる、下落する：be undermined（「下の穴を掘る」の意）
There are some concerns that the dollar could be **undermined** further.
さらなるドルの下落が懸念される。

16. 停滞して：in the doldrums
The market remains **in the doldrums** since the dotcom crash.
ITブームの終焉以来、市場は低迷している。

17. 様子をみる：stay/remain on the sidelines
Investors **stayed on the sidelines** ahead of Fed's press release.
Fedのプレス・リリースを控え、投資家は様子見の状態であった。

18. 重くのしかかる：weigh on, overshadow
The war on terrorism **weighs on** investor confidence.
テロに対する戦争により、投資家の自信が揺らいでいる。

19. （一定の範囲で）膠着している：be stuck in a range
Dow Jones **is stuck in a range**.
ダウ平均は一定の範囲で膠着している。

20. 悪循環にはまる：be caught in a vicious circle
Financial markets have **been caught in a vicious circle**.
金融市場は悪循環にはまった。

21. 混乱が収まる、沈静化する：subside
The 1998 global market turmoil gradually **subsided**.
1998年の世界的なマーケットの混乱は徐々に沈静化していった。

22. 底入れする：bottom out
The Japanese economy has finally **bottomed out**.
日本経済はようやく底入れした。

23. 軌道に乗る：gather pace
The recovery in the world economy **gathers pace**.
世界経済の回復は軌道に乗りつつある。

24. 回復する：gain ground
Dow **gained ground** after the positive news.
ダウはポジティブなニュースの後、値を戻した。

25. 反転する：bounce back, reverse
The slowdown in consumer spending has stalled and then **bounced back**.
個人消費の減速は、失速後に好転したようである。

26. 織り込む：price in, discount
The market is **pricing in** a rise in interest rates.
市場は利上げを織り込んでいる。

27. （価格・格付けに）反映される（する）：reflect
The success of the fiscal reform has **been reflected** in the recent upgrade.
財政改革の成功が最近の格付けに反映された。

28. 消化する、吸収する：absorb, digest
Markets **absorbed** a batch of corporate earnings figures.
市場は企業の一連の決算発表を吸収した。

29. 軽減する：mitigate
There are a couple of ways to **mitigate** the risk.
リスクを軽減する方法はいくつかある。

30. 加速する：accelerate（アクセルを踏む感じ）
The pace of Europe's recovery **accelerated** towards the year end.
欧州の景気回復は、年末にかけて加速した。

31. 優勢になる：prevail
In the US markets, junk bonds seem to **prevail** again.
米国市場では、ジャンク債（高利回り債）市場が再び優勢になりつつある。

32. 避ける：ward off, stave off（＝avoid）
The Fed will eventually need to raise the FF rate to **ward off** inflation.
Fedはいずれインフレ回避のため、FFレートを引き上げる必要が出てくるだろう。

33. 払拭する：wipe out, eliminate, erase
The Fed's comments failed to **wipe out** the possibility of a rate hike.
Fedのコメントは利上げの可能性を払拭するには至らなかった。

34. 注視する：keep an eye on～, keep one's eye(s) on～
Investors **keep their eyes on** fluctuations in the value of the yen against the dollar.
投資家は対ドル円相場の変動を注視している。

35. 懸念している：raise concerns
Rating agencies **raise concerns** about the size of the Japanese budget deficit.
格付け機関は日本の財政赤字の額に対し、懸念を表明している。

36. 本格化する：take hold
The economic recovery is **taking hold**.
景気回復は本格化しつつある。

37. 実現する：materialize（〈英〉materialise）
The deal has not been **materialized** due to lack of demand.
ディールは需要不足につき、実現に至っていない。

38. 拡大する：expand ⇔ 収縮する：contract
German manufacturing sector is **expanding**(**contracting**).
ドイツの製造業セクターは拡大（収縮）している。

39. （中央銀行が）金利を引き上げる：raise/lift/increase rates
　　⇔ 引き下げる：lower/cut/reduce rates
The Fed decided to **raise rates** to 1.5 percent（〈英〉per cent）.
Fedは（政策）金利を1.5％に引き上げることを決定した。

40. （中央銀行が）金利を据え置く：hold/keep rates on hold, leave rates unchanged
ECB **held rates on hold** at 2 percent.
欧州中央銀行は、政策金利を2％に据え置いた。

41. 〜のための道を開く：pave the way to
Sharp GDP growth has **paved the way to** raise interest rate.
GDPの急増により、金利引上げの基盤は整った。

42. 功を奏す、報われる：pay off, dividends
Cost cutting has **paid off**.
コスト削減が功を奏した。

43. （現状のレベルで）推移する：hover around
Inflation continues to **hover around** about the current level of 2%.
インフレ率は、引き続き現行のレベルである2％近辺で推移する見込みだ。

44. 見送られる：put on hold
The merger and acquisition deal seems to have been **put on hold** for the time being.

合併・買収話は、当面見送られた模様である。

45. 延期する：pull back from, pull off（＝postpone）
XYZ Corp. **pulled back from** its prospective public offering.
XYZ社は予定していた公募を見送った。

46. 和らげる、トーンダウンする：play down
The president of XYZ tried to **play down** the expectations of rapid increase in profit.
XYZ社の社長は、利益が急増するという期待を和らげようとした。

47. 差し控える：hold back
John Snow, the US Treasury Secretary, **held back** from accusing Japan of manipulating their currency.
米国のスノー財務長官は、日本の為替介入にかかわる非難を控えた。

48. 後れをとる：lag behind
The bank's international business **lags behind** its rivals.
その銀行の国際業務は、ライバル行に後れをとっている。

49. 利益を確定させる（利食い売りをする）：lock/cash in profit
Investors tried to **lock in profit** in the morning（afternoon）session.
投資家は前場（後場）で利益を確定させようとした。

50. 促す、刺激する：prompt
A stronger outlook for the country's economy **prompted** the upgrades.
その国の経済に対する強い見通しが、格上げを促した。

51. 無視する、受け流す：shrug off, brush off
Investors **shrugged off** optimistic economic data that showed better business sentiment.
投資家は、業況が改善していることを示す明るい経済指標に反応しなかった。

52. 強化される：reinforce, strengthen
The bank finds its position substantially **reinforced** by the merger.
その銀行は、合併によってそのステータスがはるかに強化された。

53. 浮き彫りにする：highlight（動詞としても使います）
The collapse of Enron **highlighted** the need for corporate governance.
エンロン社の崩壊が、コーポレート・ガバナンス（企業統治）の必要性を浮き彫りにした。

54. 煽る：fuel（動詞：燃え立たせる）
The news **fueled**（〈英〉fuelled）concerns among investors about the risk of buying junk bonds.
そのニュースは、投資家にジャンク債を買うリスクについての不安を煽った。

55. 損害をもたらす：take its toll on
The strength of the yen **took its toll on** the automobile industry.
円高は自動車業界に損失をもたらした。

56. 勢いをそぐ：put a damper on
Burst of the bubble **put a damper on** the Japanese economy as a whole.
バブルの崩壊は、日本経済全体に影を落とした。

57. 一番いい部分を取る：take the lion's share
By investor's category, life insurers **took the lion's share**.
投資家の業種別では、生保が一番美味しいところを取った。

58. 準備をする：brace oneself for, gear up
Fund managers **brace themselves for** a wave of IPOs.
ファンドマネージャーは、次の IPO の波を狙う準備をしている。

59. 流動性の高い：liquid ⇔ 低い：illiquid
Given the current market conditions, investors have started switching to highly-rated **liquid** bonds.
現状のマーケット環境を鑑み、投資家は高格付けで流動性の高い債券に乗り換え始めた。

60. 良好な：buoyant（buoy の派生語）
Global equity markets remain **buoyant**.
世界の株式市場は引き続き良好である。

61. 回復力のある：resilient（抵抗力があり、回復が早い感じ）
The US economy will remain **resilient**.
米国経済は引き続き回復力を維持するだろう。

62. 強い：robust, strong ⇔ 弱い：sluggish, weak
Ecomonic growth remains **robust**.
経済成長は、引き続き強い。

63. 荒い：volatile ⇔ 静かな：calm
The market has been **volatile** for a while.
ここしばらく市場は荒れている。

64. きわめて重要な：crucial, critical
The statistic released last week viewed as **crucial** to the ECB's next meetings.
先週発表された統計数字は、欧州中央銀行の次回の委員会においてきわめて重要である。

65. 予防的な：pre-emptive（先回りする感じ）
The Fed took a **pre-emptive** action by cutting the FF rate by 0.25%.
Fed は予防的措置として、FF レートを0.25%引き下げた。

66. 警戒を怠らない：vigilant

ECB maintains a **vigilant** watch on the macro economy.
欧州中央銀行は、マクロ経済を注視し続けている。

67. 影響を受けやすい、弱い：vulnerable

The market is **vulnerable** to a terrorist attack.
市場はテロ攻撃に対し脆弱である。

68. アンダーウェイトの（投資の比重が低い）：underweight
　　　⇔　オーバーウェイトの：overweight

Investors in the UK are heavily **underweight** in Japanese stocks.
英国の投資家は日本株に対しかなりアンダーウェイトとなっている。

69. 買われすぎな：overbought　⇔　売られすぎな：oversold

Fund managers believe equities are **overbought**.
ファンドマネージャーたちは、株が買われすぎだと確信している。

70. タイミングのよい：well-timed

It was a **well-timed** IPO. ＝ The IPO was timed well.
株式公開のタイミングはよかった。

71. 和らいだ：subdued

Inflation risk remains **subdued**.
インフレ・リスクは依然和らいだままだ。

72. 受け入れやすい：receptive

Investors have become more **receptive** to South Korean credits than before.
投資家は以前より韓国リスクを取るようになってきた。

73. 法的拘束力のない：non-binding　⇔　法的拘束力のある：binding

Letter of Intent is **non-binding** and tentative.

趣意書は法的な拘束力はなく、仮契約的なものである。

74. 際立って：remarkably, markedly
Confidence in the business outlook has grown **markedly** in the fourth quarter.
第4四半期には、事業の見通しが際立って明るくなった。

75. わずかに：marginally, slightly, fractionally
The Dow rose only **marginally** from 10012.38 to 10015.24.
ダウ平均は10012.38から10015.24にわずかに上昇した。

76. ネガティブな方向に：adversely, negatively
⇔ ポジティブな方向に：favourably, positively
Capital markets have been **adversely** affected by the US recession.
資本市場は米国の景気後退によりネガティブな影響を受けてきた。

77. 一連の：a spate/batch/raft of
There have been **a spate of** corporate scandals.
事業会社絡みの（一連の）スキャンダルがあった。

78. 総じて：across the board
Asian stock markets finished lower **across the board**.
アジアの株式市場は全面安にて終了した。

79. 進行中（準備中）の：in the pipeline
There are a lot of deals **in the pipeline**.
進行中のディールはたくさんある。

80. 回復過程の：on the road to recovery, head for recovery
Japan's creditworthiness is **on the road to recovery**.
日本の信用力は回復過程にある。

81. 底堅い：be on a firm footing
There are signals that the economy **is on a firm footing**.
景気が底堅いという兆候がある。

82. 単独で：on a stand-alone basis
The bank underwrote the whole deal **on a stand-alone basis**.
その銀行は、単独でディール全額を引き受けた。

83. ～を背景に：against a backdrop of
The surge in stock prices came **against a backdrop of** improved corporate earnings.
株価の急上昇は、企業収益の改善を背景としたものである。

84. ～に支えられ：on the back of
XYZ is expected to issue its debut bond **on the back of** strong demand.
XYZ社は、強い需要に支えられ、デビュー債を発行する予定である。

85. ～を控えて：ahead of
Investors exercised caution **ahead of** the release of a slew of corporate results.
投資家は、一連の企業の決算発表を控え、慎重な姿勢をとった。

86. 予想通りの：in line with expectations，予想以上の：above expectations，
　　予想以下の：below expectations
The company's after-tax profit was **in line with expectations**.
その会社の税引き後利益は予想通りだった。

87. 引き金となる：trigger（ピストルの引き金！）
Selling **was triggered by** the bad news.
売りは、悪い知らせが引き金となった。

88. ～次第：subject to
The lead manager hopes to launch the issue next week, **subject to** market condi-

tions.
主幹事は、マーケット環境次第ではあるが、来週ローンチしたいと考えている。

89. 〜に注力している：be committed to（to は前置詞）
The company **is committed to** raising capital investment.
同社は資本投資を増やすことに注力している。

90. 2倍になる：double，3倍になる：triple，4倍になる：quadruple
The share price has **doubled** in 12 months.
株価は1年で2倍になった。

91. 5倍（10倍、100倍）：fivefold（tenfold, hundredfold）（数＋fold）
The bank reported a **fivefold** rise in net profits.
その銀行は、純益が5倍となったことを発表した。

92. 0.25%：a quarter (of a percentage) point （1 point ＝ 1 per cent／〈米〉percent）
The Bank of England raised its base rate by **a quarter of a percentage point**.
英国中銀イングランド銀行は、政策金利を0.25%引き上げた。

93. 7分の1：one-seventh（何分の1は"分子-分母＋th（序数）"）
The airline lost **one-seventh** of its market value yesterday.
その航空会社は、昨日時価の7分の1を失った。

94. （Libor＋20台）前半：in the low（20s over Libor），半ば：in the mid，後半：in the high
The deal was priced **in the low** twenties over Libor.
そのディールはLibor＋20台前半にプライシングされた。（20⇒20bp＝0.2%）

95. A に相当する：equates to A，an equivalent level of A
The spread **equates to** 5 basis points over 5-year Treasuries.

スプレッドは5年物米国債に5bp上乗せしたレベルに相当する。

96. （スプレッドが）拡大する：widen, soften
    ⇔ 縮小する：tighten, contract, narrow

Benchmark sovereign issues have **widened** by 10-15 bp.
ソブリンの指標銘柄（のスプレッド）は、10-15bp 広がった（＝安くなった）。

97. きつめに、タイトに：aggressively, tightly, 甘く：generously, 妥当に fairly

The loan was **aggressively** priced.
ローンはきつめにプライシングされた。

98. （スプレッド・プライスが）Aより上で：over/through A

The bond's spread ended the week at 10 bp **over** JGB.
そのボンドのスプレッドは、週末にかけ JGB＋10bp 近辺で引けた。

99. 割安な：undervalued ⇔ 割高な：overvalued

Retail investors are motivated by **undervalued** stocks.
個人投資家は割安な株に触手を伸ばしている。

100. 割安に価格設定する：underprice ⇔ 割高に価格設定する：overprice

Investment banks tend to **underprice** the issue to ensure that it performs well in the secondary market.
投資銀行は、流通市場で良いパフォーマンスを示すよう、発行時に割安に価格設定する傾向がある。

資　料

資　料　1

わが国の金融機関一覧

Central Bank（中央銀行）── Bank of Japan（BOJ 日本銀行）

Public financial institutions（公的金融機関）
- Postal savings（郵便貯金）
- Governmental financial institutions（政府系金融機関）
  - Development Bank of Japan（DBJ 日本政策投資銀行）
  - Japan Bank for International Cooperation（JBIC 国際協力銀行）
  - Finance corporations（金融公庫）

Private financial institutions（民間金融機関）
- Banks（銀行）
  - City banks（都市銀行）
  - Regional banks（地方銀行）
  - Second regional banks（第二地方銀行）
  - Trust banks（信託銀行）
  - Foreign banks（外資系銀行）
  - Others（その他）
- Shinkin Central Bank（信金中金）
  - Shinkin banks（信用金庫）
- Shoko Chukin Bank（商工中金）
- The Shinkumi Federation Bank（全信組連）
  - Credit cooperatives（信用組合）
- Norinchukin Bank（農林中金）
  - Agricultural cooperatives（農協）
  - Fishery cooperatives（漁協）
  - Forest cooperatives（森協）
- Rokinren Bank（労金連）
  - Labor banks（労働金庫）
- Life insurance companies（生命保険）
- Non-life insurance companies（損害保険）
- Security firms（証券会社）

資 料 2

米国の金融機関

　米国の銀行制度は、二元的銀行制度（連邦 federal と州 state）がベースとなっているのが特徴です。

　また、通称グラス゠スティーガル法（Glass-Steagall Act）により、銀行と証券の垣根（firewall）が守られてきましたが、1999年、グラム゠リーチ゠ブライリー法（Gramm-Leach-Bliley Act）により、この"防火壁"が撤廃され、金融持株会社を通して、銀行、証券、保険の相互参入が可能になりました。

- Commercial banks（商業銀行）：わが国の普通銀行に類似
  - ① National banks（国法銀行）：money center banks とも呼ばれ、連邦準備制度（FRS：Federal Reserve System）に加盟するホールセール業務を核とする銀行。
（例 JP Morgan Chase、Bank of America、Citibank）
  - ② State banks（州法銀行）：regional banks とも呼ばれ、一つの州を基盤として、州政府の監督下にあるリテール業務を中心とする銀行。super regional banks は、複数の州にまたがり展開する銀行のこと。
- S&L：Savings and loan association（貯蓄貸付組合）：小口の預金を調達、住宅抵当貸付や消費者ローンで運用する金融機関で、thrift institutions（貯蓄金融機関）の一種。商業銀行同様、国法、州法ベースに分かれます。
（その他、Mutual savings banks（相互貯蓄銀行）、Credit unions（信用組合）などの業態があります）
- Insurance companies（保険会社）
- Security companies/firms（証券会社）

＊なお、上記の商業銀行や証券会社のなかには、大手事業法人・政府（機関）に対し、株式・債券の引受けや、M&A などのアドバイザリーを行う投資銀行業務（investment banking）を行う金融機関が含まれます。

資 料 3

英国の金融機関

　英国では、米国と異なり、銀行と証券の垣根が低く、比較的自由な競争が行われてきました。90年代には、モルガン・グレンフェル、SG ウォーバーグ、クラインオート・ベンソンなどの名門 Merchant banks が、資本力で優位な外資系金融機関によって、次々に買収されていきました。一方、同時期に投資銀行業務に触手を伸ばした大手銀行も、競争激化により、同業務の見直しを余儀なくされました。大手各行は商業銀行業務をベースとしながら、得意分野を生かした特色のある経営を行っています。

　このように、投資銀行業務については、外国人プレーヤーを中心とする"ウィンブルドン化（Wimbledonization）"が起こっています。

- Clearing banks（クリアリング・バンク）：商業銀行業務を行う銀行。手形交換所の加盟・決済銀行を起源としています。イギリス4大クリアリング・バンクは、NatWest、Barclays、Lloyds TSB、HSBC。

- Merchant banks（マーチャント・バンク）：投資銀行業務を行う金融機関。わが国の大手証券会社のイメージに近いといえるでしょう。外資による老舗の相次ぐ買収を経て、アメリカの大手投資銀行の経営モデルが浸透。

- Building societies（住宅金融組合）：個人の住宅ローンに重点を置く銀行。大手の中には、Halifax、Abbey National のように、普銀転換する銀行も出てきました。

- （その他、National Savings Bank（国民貯蓄銀行）、Tesco、Sainsbury などの大手スーパー系銀行などがあります）

- Insurance companies（保険会社）

資料 4

P&L, B/S 英和対照表

Income Statement/〈英〉Profit and Loss Statement（損益計算書）

① Sales/〈英〉Turnover（売上高）	100
② Cost of sales（売上原価）	60
③ Gross profit（売上総利益）	40（①－②）
④ Operating expenses（販売費・一般管理費）	10
⑤ Operating income（営業利益）	30（③－④）
⑥ Other income/expenses（営業外利益・費用）	20（受取・支払利息等）
⑦ Recurring profit（経常利益）	50（⑤±⑥）
⑧ Extraordinary gains/losses（特別利益・損失）	－10
⑨ Income before tax（税引前利益）	40（⑦±⑧）
⑩ Tax（税金）	5
⑪ Net income（純利益）	35（⑨－⑩）

Balance Sheet（貸借対照表）

Current assets（流動資産）	230	**Current liabilities（流動負債）**	105
Cash and equiv.（現金および預金）	110	Accounts payable（買掛債務）	30
Accounts receivable（売掛債権）	80	Bank loans（短期借入金）	70
Inventories/〈英〉Stocks（棚卸資産）	30	Income tax payable（未払法人税等）	2
Others（その他）	20	Accrued expenses（未払費用）	2
Allowance（貸倒引当金）	－10	Others（その他）	1
Fixed assets（固定資産）	120	**Long-term liabilities（固定負債）**	25
Land（土地）	30	Long-term debt（長期借入金）	20
Buildings and structures（建物・構築物）	55	Reserve for retirement benefits（退職給与引当金）	5
Investment securities（投資有価証券）	15	**Shareholders' equity（資本の部）**	220
Deferred income taxes（繰延税金資産）	12	Capital（資本金）	70
Others（その他）	10	Capital surplus（資本剰余金）	25
Accumulated depreciation（貸倒引当金）	－2	Retained earnings（利益剰余金）	125
Total（資産合計）	350	**Total（負債・資本合計）**	350

資 料 5

Japan Company Handbook（英文会社四季報）に掲載されるような一般情報

Line of business（業種）

Company's name（会社名） Code number（株価コード） Characteristics（特色） Line of business, its industry ranking（業種およびランキング） Company's history, management strategy, overseas policy etc.（沿革、経営戦略等） **Outlook**（見通し） The short and long-term outlook based on first-hand data amassed by Toyo Keizai's select team of reporters.（東洋経済が独自に入手した情報による短期および長期見通し）

Income data（業績：実績および予想）

Year	Sales	Operating Profit	Current Profit	Net Profit	EPS per sh	Dividend per sh	CF (Ope.) per sh
（年度）	（売上）	（営業利益）	（経常利益）	（純利益）	（1株当り利益）	（配当金）	（営業キャッシュフロー）

Stock price chart（株価チャート） 　　　　PER（株価収益率） Stock price movements and turnover in each month（過去4年半における株価推移および出来高グラフ） **Stocks**（株式） Shares Issued（発行済み株数） Major Holders（主要株主） **Finan.Data**（財務データ） Total Assets（総資産）、Shareholders' Equity（自己資本比率）、Capital Stocks（資本金）、Retained Earnings（剰余金）、Borrowings（借入金） **Indices**（主要比率）：ROE、ROA **Consolidated Data**（連結子会社データ） **Cash Flows**（キャッシュフローデータ）	**Consolidated Sales**（連結決算） Each division's sales expressed as a percentage of the composite ratio of total sales（セグメント別売上比率：％） **Prices**（過去5年間の株価） Year（年）　High（高値）　Low（安値） **Finance**（資金調達） **Capital Spending & Others**（資本移動他） **Highest Net Profit**（最高純益） **References**（主要取引銀行） **Exchanges**（上場市場） **Underwriters**（幹事証券） **Establishment**（設立）、**Listing**（上場年月） **Employees**（Av. Age） （従業員数（平均年齢）） **Chairman**（会長）、**CEO**（社長）

Principal Office（本社）　address、tel & URL（住所、電話番号、ホームページURL）

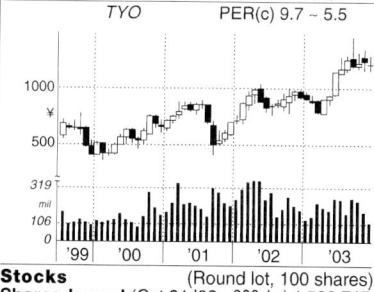

NISSAN MOTOR　7201
日産自動車

One of largest automakers in Japan. Produces cars in US, UK, and elsewhere. Ranks 9th in sales units in global market. Forms capital and business alliance with Renault(France). Holds 15% stake in Renault. Has presence in China thru JV formed with Dongfeng Motor in Sept '02. Strengthening presence in US market.

Outlook: Domestic automobile growth falling below projection, while sales in N.America exceeding forecast, boosted by launch of new-model cars. Compact cars active in Europe. Purchasing cost cutback progressing and exceeding projected level. Profit outlook revised up. Tax burden back to normal level. In Mar '05 term, profits expanding mainly in N.America on strength of new cars. Business in China aiming to achieve 2-fold volume and sales, and 10% operating profit ratio over 2003, by 2007.

Income (¥mil)	Sales	Operating Profit	Current Profit	Net Profit	Earnings per sh(¥)	Dividend per sh(¥)	CF(Ope.) per sh(¥)
□ Mar '01	6,089,620	290,314	282,309	331,075	83.5	7	18.5
□ Mar '02	6,196,241	489,215	414,744	372,262	92.6	8	55.3
□ Mar '03	6,828,588	737,230	710,069	495,165	117.8	14	136.9
□ Mar'04*	7,450,000	820,000	781,000	495,000	109.5	19	
□ Mar'05*	8,050,000	890,000	840,000	510,000	112.8	24	
■ Sep '03	3,556,249	401,132	390,346	237,680	57.4	8	61.0
■ Sep '04*	3,900,000	430,000	420,000	250,000	55.3	12	
Mar '03	3,419,068	316,059	293,073	72,869	16.1		
Mar '04*	3,820,000	360,000	340,000	180,000	39.8		
• Sep '03	1,655,604	149,716	141,377	75,348	17.0		

TYO　　PER(c) 9.7 ~ 5.5

Consolidated Sales (Mar '03, %)
Automobiles　94
Financing　6
Overseas Sales Ratio　66

Prices	High	Low
~'99	1700 ('89)	48 ('51)
'00	764 (Nov)	351 (Feb)
'01	900 (Jul)	405 (Sep)
'02	1041 (May)	683 (Jan)
*'03	1455 (Sep)	772 (Mar)

Finance　(000shs)
May '81 EDR 60 (¥797)　1,656,047
Nov '83 10:1 Gratis　1,900,435
May '84 10:1 Gratis　2,126,245
May '99 3rd 1464.25 (¥400) 3,977,293
Jun '99 WB ¥5.8bil (¥554)
Mar '00 WB ¥15bil (¥429)
Mar '01 WB ¥45bil (¥764)
Mar '02 WB ¥52.8bil (¥880)

Stocks (Round lot, 100 shares)
Shares Issued (Oct 31 '03　000shs) 4,520,715
No. of Shareholders (Sep 30 '03)　107,360
Major Holders (%)　**Foreign Owners 63.9**
Renault (44.3), Japan Trustee Services Bank T. (4.9), Master Trust Bank of Japan,T. (3.8), Company's Tr.Stock (2.2), Dai-ichi Life Ins. (1.9), Nippon Life Ins. (1.7), Chase Manhattan Bank (London) (1.4), UFJ Trust, Trust Acc.A (1.4), Sompo Japan Insurance (1.4), Moxley & Co. (1.3)

Finan.Data(¥mil) ■ Sep '03 **Indices**(%) □ Mar '03
Total Assets　7,752,872 ROE　27.4　(26.1)
Shareholders' Equity(%)　ROA　6.7　(6.4)
　1,899,093 (24.5) **Consolidated Data**
Capital Stocks　605,814 Subsidiaries　204
Ret. Earnings　1,035,913 Equity Meth. Firms　59
Borrowings　2,997,253 Employees　124,404
Cash Flows(¥mil) □ Mar '03
CF(Operating)　575,378　(-222,214)
CF(Investing)　-515,374　(-524,389)
CF(Financing)　-72,764　(-280,915)

Capital Spending　(¥mil)
　□ Mar '04 *420,000 (□ Mar '03　377,900)
R&D Expenditure　(¥mil)
　□ Mar '04 *360,000 (□ Mar '03　300,300)
Depreciation & Amortization　(¥mil)
　□ Mar '04 *230,000 (□ Mar '03　204,200)
Highest Net Profit　(¥mil)
　　　　　　　Mar '03　495,165
References: Mizuho C, SMBC, Resona, Norinchukin, BOTM
Exchanges: TYO, FRA, NQ
Underwriters: Nikko, Daiwa, Shinko
Establishment: Dec 1933
Listing: Jan 1951
Employees (Av.Age): 31,505 (40.6)
Chairman: –
President: Carlos Ghosn

Principal Office 6-17-1, Ginza, Chuo-ku, Tokyo 104-8023
URL: http://www.nissan.co.jp/　　**Tel:** 03-3543-5523

資料

資　料　6

アニュアル・レポート（Annual Report）の基本構成

アニュアル・レポート（年次報告書）は、企業の広報雑誌の集大成であり、企業活動・業績を知るうえで大切な情報が満載されています。最大限アピールするよう書かれているので、多少割り引いて解釈し（should be taken with a pinch/grain of salt）、行間を読むこと（read between the lines）が読むコツです。

前半が企業活動・業績にかかわるコメント、後半が財務諸表とその注釈（Financial Section）という構成ですが、さまざまなパターンがあります。以下、代表的なものを挙げておきます。

Chairman of the Board Letter/Management Mission etc.（社長・会長の挨拶）
経営者が経営戦略・市場環境に触れながら、目標達成の如何を説明

Sales and Marketing（企業活動）
事業部門の概要と重点分野に対する資源の投入・効果につき概説

3 - 10 Years Summary of Financial Figures（過去3 - 10年の業績推移）
過去3 - 10年の業績を示す主要計数の推移
通常、経営者が Management Discussion and Analysis という形でコメント

Financial Statements（財務諸表）
3点セット（B/S、P/L、Cash Flow Statement）＋自己資本（Shareholders' equity）
前年度（＋前々年度）との対比の形

Notes to the Financial Statements（財務諸表にかかわる注釈）
諸表作成のための基本となる会計処理上の重要事項

Report of Independent Accountant（監査報告書）
基準に準拠し、該当事業年度の経営成績を適正に表示している旨の監査法人のお墨付き

Shareholders' Information（株主のための情報）

資料 7

目論見書の基本構成

　目論見書は、株や債券などの有価証券を新規発行する際に、投資家の投資判断の基準となる情報を提供する目的で作成されます。主として、①発行者、②発行する有価証券、③引受に関する情報が盛り込まれています。
　以下、債券発行のケースの雛形をみていきましょう。

Summary of Terms（発行概要）
The Parties（関係者）
Issuer（発行体）、Trustee（トラスティ）、Custodian（カストディアン）、Swap counterparty（スワップ・カウンターパーティ）など
The Notes（債券）
Issue amount（発行総額）、Issue price（発行価格）、Interest（利率）、Payment date（払込日）、Maturity date（満期日）、Redemption method（返済方法）、Ratings（格付け）などの債券概要
Special Considerations（特記事項）
liquidity（債券の流動性）、Collateral/Security（担保）、Event of default（デフォルトした場合の保全措置）、Tax（税金）など、投資家として知っておくべきリスク

The Issuer（発行体）：発行者に関する情報
Issuer（発行者名）、Scope of business（事業内容）、Shareholders（資本構成）、Financial statements（財務諸表）など

Terms and Conditions of the Notes（債券の発行条件）
上記の発行条件に加え、Use of proceeds（資金使途）、Governing law and Jurisdiction（準拠法および裁判管轄権）、Event of default、Rights of noteholders（債券所有者の権利）等

Subscription and Sale（引受けおよび販売）
Note subscription agreement（引受契約）、Restrictions on offer and sale of notes（販売制限）

　この他に、Tax consideration、Rating of the notes、Listing information（上場に関する情報）、そして最後に、Index of defined terms（索引）となります。

資 料 8

シンジケート・ローン提案書事例

Summary of Indicative Terms and Conditions
US$1,000,000,000
Syndicated Loan Facility

　下記提案書事例は、シ・ローンとしては典型的なものの1つです。かなり細かく感じられるかもしれませんが、これらの主要項目が、シ・ローン契約に落とし込まれていくと考えて頂いて結構です。言い換えると、シ・ローン契約の重要事項を網羅しているとも言えます。

Borrower（借入人）	Toyo Motors（the"Borrower"）（借入人）
Facility（ファシリティ形態）	Unsecured term loan（無担保無保証ローン）
Total amount（総額）	US＄1,000,000,000
Purpose（資金使途）	General corporate purpose（運転資金）
Agent（事務管理銀行）	Mizuto Bank（the"Agent"）（エージェント）
Arranger（主幹事行）	JB Morgan（JBM）(the"Arranger")（アレンジャー）
Lenders（貸出人）	JBM and other limited number of financial institutions selected by the Arranger in consultation with the Borrower (the"Lenders")（アレンジャーと貴社でご相談のうえ選定したJBMおよび限られた金融機関）
Signing date（調印予定日）	To be negotiated（応相談）
Drawdown date（実行日）	To be negotiated（応相談）
Maturity date（満期日）	5 years from the drawdown date（実行日から5年）
Currency（通貨）	US dollar, Euro and Japanese Yen
Interest rate（金利）	Libor+0.75%（to be negotiated） Interest shall be computed on the actual/360 day basis. Interest shall be payable on the last day of each interest period（金利は360日ベースの日割り計算、後払い）
Interest period（利払期間）	6 month（6カ月毎）
Drawdown（実行方法）	One lump-sum（一括実行）
Repayment（返済方法）	Bullet at maturity date（期日一括返済）
Prepayment（期限前完済）	The Borrower may prepay all or any part of the loans on each interest period.（借入人は利払期間毎に借入金

	の全額または一部を返済可)
Conditions precedent (前提条件)	Shall be customary for a facility of this nature including, but not limited to: (借入人は以下の書類をエージェント宛に提出する) a) a certified copy of the company register of the Borrower;（借入人の商業登記簿謄本） b) a certified copy of a representative of the Borrower authorized to execute this agreement and a certificate of his signature;（借入人の資格証明書、サイン証明書） c) Representations and warranties to be true and accurate.（借入人が事実の表明およびその保証を充足していること） d) No event of Default（借入人にデフォルト事項がないこと）
Representations and Warranties (表明とその保証)	The Borrower represents and warrants to each of the Agent, the Arranger and Lenders, on the date hereof and on the date of the Drawdown;（借入人は、本契約調印日および各貸出実行日現在において） a) the Borrower is a corporation duly organized and validly existing under the laws of the United States;（借入人は所在国で正当に設立され有効に存在する法人であること） b) the Borrower has the power to enter into and perform this agreement;（借入人は本契約を締結し履行する行為能力があること） c) the entry into and performance of this agreement do not and will not conflict with 　(i) the article of incorporation of the Borrower, or 　(ii) any agreement or documents to which the Borrower is a party;（本契約および履行は借入人の定款および既存契約と利害対立しない） d) all authorizations, or license required in connection with the entry into and performance of this agree-

	ment have been obtained; (借入人が本契約の締結および履行に必要な許認可等を取得済みであること) e) no Events of Default has occurred; (借入人がデフォルト条項に抵触していないこと) f) there has been no material adverse change; (直近年度決算書作成以降、借入人が本契約の義務の履行に際し、重大な影響を与える変更が生じていないこと) g) no litigation, arbitration, or administrative proceedings are pending. (訴訟、仲裁、または行政手続に係属していないこと)
Financial Covenants (財務制限条項) Undertakings (確約)	Shall be including, but not limited to, Minimum Net Worth (最低純資産額) a) The Borrower shall furnish to the Agent; 　　The financial statements for each half-year settlement within 120 days of the date of the settlement 　　(半期ごとに決算日から120日以内に決算書を提出) b) Pari Passu ranking (パリパス条項) c) Negative Pledge (担保制限条項) d) Restriction on disposals of assets; (資産譲渡制限)
Events of Default (デフォルト条項)	Shall be customary for a facility of this nature including, but not limited to; a) The Borrower does not pay on the due date any amount payable by it hereunder; (金銭支払い遅延が生じたとき) b) The Borrower defaults in the due performance or observance of any or all of its covenants, undertakings or obligation under this agreement; (Undertakingsの条項に違反) c) Any representation, warranty or statement is untrue or incorrect (「表明とその保証条項」に違反) d) Cross Default (クロス・デフォルト条項): 　　The Borrower does not pay any other borrowings

	within 5 business days of the due date;（本契約以外の借入金につき返済期日から5営業日以内に支払われなかったとき） e) The Borrower is submitted for bankruptcy, commencement of composition of creditors, commencement of corporate reorganization proceedings or commencement of company arrangement;（破産、和議、会社更生手続き、会社整理、または、特別清算が開始されたとき） f) A clearing house takes procedures on the Borrower for suspension of transaction;（決済機関が取引停止処分としたとき） g) An order or notice of (provisional) attachment is issued in respect of the Borrower's deposits or other credits with any financial institutions.（（仮）差押命令が下りたとき）
Assignment（譲渡）	Any bank may, with the prior written consent of the Borrower, assign to any lending institutions such bank's rights and/or obligations;（借入人の事前の同意により、譲渡可能）
Business Days（営業日）	London、Tokyo、New York
Governing Law（根拠法）	English Law（英国法）
Jurisdiction（裁判管轄権）	London

● 参考文献

Brett, M., *How to Read the Financial Pages*, Random House Business Books, 2000.
Coggan, P., *The Money Machine*, Penguin Books, 2002.
Golding, T., *The City: Inside the Great Expectation Machine*, Pearson Education, 2003.
Vaitilingam, R., *The Financial Times Guide to Using the Financial Pages*, Pearson Education, 2001.
Japan Company Handbook, Toyo Keizai, spring 2004.

北地達明／北爪雅彦『M&A入門』（新版）日経文庫，2002年．
第一勧業銀行国際金融部編著『法人融資枠設定と融資取引』BSIエデュケーション，2001年．
西村信勝／清水和明／ジェラルド・ポール・マクリン『基礎からわかる金融英語の意味と読み方』日興企画，2003年．
日本証券経済研究所『図説 アメリカの証券市場』（2002年度版）日本証券経済研究所，2003年．
日本総合研究所編『金融を読む事典』（新版）東洋経済新報社，2003年．
山根眞文『図解 国際金融法務』有斐閣，1994年．
吉本秀人『金融の英語』ノヴァ，2001年．

● ウェブサイト

東京証券取引所　http://www.tse.or.jp/
New York Stock Exchange　http://www.nyse.com/
NASDAQ　http://www.nasdaq.com/
Federal Reserve System　http://www.federalreserve.gov/
US Dept of the Treasury　http://www.ustreas.gov/
Wall Street City　http://www.wallstreetcity.com/
Standard & Poor's　http://www2.standardandpoors.com/
Moody's　http://www.moodys.com
FitchRatings　http://www.fitchratings.com/
London Stock Exchange　http://www.londonstockexchange.com/
Bank of England　http://www.bankofengland.co.uk
HM Treasury　http://www.hm-treasury.gov.uk/
British Bankers' Association　http://www.bba.org.uk/
Financial Times　http://news.ft.com/home/uk/
IPMA　http://www.ipma.org.uk
ISMA　http://www.isma.com/home.html
IFSL　http://www.ifsl.org.uk/
Corporation of London　http://www.cityoflondon.gov.uk/
European Central Bank　http://www.ecb.int/

略語一覧

省略表記	正式表記	訳語
BBA	British Bankers' Association	英国銀行協会
BoE	Bank of England	英国中銀イングランド銀行
BoJ	Bank of Japan	日本銀行
bp	basis point	ベーシス・ポイント
B/S	balance sheet	貸借対照表
CPI	consumer price index	消費者物価指数
DJIA	Dow Jones Industrial Average	ダウ平均
ECB	European Central Bank	欧州中央銀行
EMU	Economic and Monetary Union	欧州通貨同盟
EPS	earnings per share	1株あたり利益
ESCB	European System of Central Banks	欧州中央銀行制度
EU	European Union	欧州連合
Euribor	Euro Inter-Bank Offered Rate	欧州銀行間貸し手金利
Fed	Federal Reserve System	連邦準備制度
FF rate	Federal Funds rate	FFレート
FOMC	Federal Open Market Committee	連邦公開市場委員会
FRB	Federal Reserve Board	連邦準備制度理事会
FRN	floating rate note	変動利付債
FX/forex	foreign exchange	外国為替
IBRD	International Bank for Reconstruction and Development	国際復興開発銀行
IPO	initial public offering	株式公開、上場
IR	investor relations	企業広報活動
ISM	Institute of Supply Management	全米供給管理協会指数
JGBs	Japanese Government Bonds	日本国債
LBO	leveraged buyout	レバレッジド・バイアウト
Libor	London Inter-Bank Offered Rate	ロンドン銀行間貸し手金利
LSE	London Stock Exchange	ロンドン証券取引所
LTPR	long-term prime rate	長期プライムレート
M&A	mergers & acquisitions	M&A（企業合併・買収）

略語

MBO	management buyout	マネジメント・バイアウト
MoF	Ministry of Finance	大蔵省
Nasdaq	National Association of Securities Dealers Automated Quotation	ナスダック市場
NYSE	New York Stock Exchange	ニューヨーク証券取引所
P&L、P/L	profit and loss statement/account	損益計算書
PER	price earnings ratio	株価収益率
PPI	producer price index	生産者物価指数
ROE	return on equity	株主資本利益率
Tibor	Tokyo Inter-Bank Offered Rate	東京銀行間貸し手金利
TOB	takeover bid	公開市場買付
TOPIX	Tokyo Stock Price Index	東証株価指数
TSE	Tokyo Stock Exchange	東京証券取引所
TTB	telegraphic transfer buying rate	電信買相場
TTS	telegraphic transfer selling rate	電信売相場

和文索引

【ア行】

相対ローン …………………………110
悪循環 ………………………………133
アナリスト ……………………………12
アニュアル・レポート（年次報告書）
 ……………………………………15, 152
（資金の）安全な避難所 ……………11
安定株主 ………………………………56
安定成長協定 ………………………104
意義 ……………………………………56
1段階（ノッチ）………………………85
一般材料 ………………………………38
EU（欧州連合）
イールドが立つこと …………………69
イールド・カーブ（利回り曲線）……68
　　──の年限が長い ………………71
　　──の年限が短い ………………71
イールドが平坦化すること …………69
（投資玉の）入れ替え ………………10
インカム・ゲイン ……………………10
イングランド銀行 ……………………24
インビテーション …………………110
インフォメモ ………………………111
インフレ ………………………………24
ウィンドウ（が開くタイミング）……34
ウォッチ・リスト ……………………82
ウォール街［NY市場の総称］………42
売上総利益 …………………………149
売上高 ………………………………149
売掛債権 ……………………………149
売出し …………………………………54
売値（オファー価格）…………………20
売り持ち ………………………………98
運用責任者(ファンドマネージャー)…12
営業年度（事業年度）…………………15

営業日 ………………………………157
営業利益 ……………………………149
英国銀行協会 …………………………89
英国債 …………………………………61
エクイティ・ファイナンス …………16
エクスポージャー ……………………14
黄金の落下傘 ………………………119
欧州銀行間貸し手金利（Euribor）……89
欧州中央銀行 ……………24, 102, 103
欧州中央銀行制度 …………………103
欧州通貨同盟 ………………………101
欧州統一通貨（euro）…………96, 101
欧州連合（EU）………………………101
大台 ……………………………………6
オファー価格（売値）…………………20
オフショア市場 ………………………3
オンショア市場 ………………………7

【カ行】

買掛債務 ……………………………149
外貨準備高 ……………………………97
外国為替市場 …………………………4
開示 ……………………………………15
会社更生 ……………………………157
会社説明会 ……………………………15
買値（ビッド価格）……………………20
外部債務 ………………………………4
買い持ち ………………………………98
価格決定（プライシング）……………74
格上げ …………………………………82
格下げ …………………………………82
格付け …………………………………81
確約 …………………………………112
過去最高値 ……………………………50
貸出人 …………………………………26
価値評価 ……………………………120

161

株価収益率……………………………39
株式……………………………………32
株式公開………………………52, 54, 56
株式非公開化…………………………56
株主……………………………………32
株主資本利益率………………………40
株主割当………………………………34
（株の）希薄化 ………………………16
（為替相場などの）変動 ……………96
為替リスク……………………………12
幹事団組成（シンジケーション）…74
元本………………………………32, 60
機関投資家……………………………10
企業広報活動……………………16, 52
企業収益……………………………142
企業の合併・買収（M&A）………118
企業の乗っ取り屋…………………118
議決権…………………………………33
期限の利益喪失……………………113
期限前完済…………………………154
規制緩和……………………………128
基本合意書（趣意書）……………120
期末配当………………………………36
逆イールド……………………………68
キャッシュフロー表…………………15
キャピタル・ゲイン（譲渡益）……11
キャピタル・ロス（譲渡損）………11
供給……………………………………38
金融緩和………………………………25
金融機関………………………………20
金融債…………………………………61
金融政策………………………………24
金融引締め……………………………25
金利リスク……………………………11
国、政府機関………………………125
クーポン………………………………10
クリティカル・マス…………………21
クロスデフォルト条項……………113

グローバリゼーション ……………129
経営戦略……………………………150
経済合理性……………………………78
経済成長……………………………139
経済の基礎的条件（ファンダメンタルズ）
　　　　　　　　　　　　　　12, 97
経常利益……………………………149
決算期…………………………………15
決算書…………………………………15
決算発表……………………………142
公開企業………………………………57
公開基準………………………………54
公開市場買付………………………119
公開市場操作…………………………25
公共投資………………………………24
公募……………………………… 34, 54
公募価格………………………………54
候補を絞り込んだリスト …………116
小売売上高［米国］…………………51
国債……………………………………60
国際機関……………………………125
国際市場……………………………129
国際収支………………………………97
国内市場…………………………7, 126
個人……………………………………20
個人投資家……………………………10
コスト総額……………………………74
固定資産……………………………149
固定負債……………………………149
後場…………………………………137
個別材料………………………………38
個別ミーティング……………………18
コベナンツ（制限条項）…………112
コーポレート・ガバナンス………138
コミットメント（参加意思表示）
　　　　　　　　　　　　…111, 115
雇用統計［米国］……………………50

【サ行】

債券市場 …………………………3
債権者 ……………………………32
最後の貸し手 ……………………26
財政政策 …………………………24
サイニング（調印）……………75
裁判管轄権 ……………………153
財務省 ……………………………60
財務的 M&A …………………118
債務不履行リスク ………………86
先物 ………………………………96
参加 ……………………………111
参加意思表示（コミットメント）
　………………………………111, 115
残余財産分配請求権 ……………33
時価総額 …………………………2
直物 ………………………………96
事業年度（営業年度）…………15
事業の再構築 …………………118
（資金の）安全な避難所 ………11
資金流出 …………………………10
資金流入 …………………………10
資産配分 …………………………12
事実の表明とその保証 ………112
市場介入 …………………………97
市場心理 …………………………46
市場のポジティブな流れ ………49
失業率［米国］…………………50
実行日 …………………………154
質への逃避 ………………………11
シティ［ロンドンの金融街］…3
支払準備制度 ……………………25
支払準備率 ………………………25
指標 ………………………………19
資本 ………………………………4
資本金 …………………………149
資本市場 …………………………4

資本剰余金 ……………………149
資本調達 …………………………5
資本の部 ………………………149
社債 ………………………………61
趣意書（基本合意書）………120
自由化 …………………………128
重大な変化 …………………84, 112
守秘契約 ………………………120
需要 ………………………………38
主要株主 ………………………150
需要調査 …………………………54
順イールド ………………………68
準拠法 …………………………153
純利益 …………………………149
償還 ………………………………60
償還期限 …………………………32
商業銀行業務 ……………………20
商業登記簿謄本 ………………155
証券市場 …………………………4
条件提示 …………………………73
証券取引所 ………………………2
譲渡益（キャピタル・ゲイン）………11
譲渡損（キャピタル・ロス）………11
消費者物価指数［米国］………51
常連のボロワー …………………19
初回発行 …………………………19
新株引受権 ………………………33
シンジケーション（幹事団組成）……74
シンジケートローン …………110
信用度 …………………………127
信用リスク ………………………11
信用力 …………………………141
スクリーニング（選定）……120
スケール・メリット ……………22
ストラテジスト …………………12
スプレッド ………………………74
制限条項（コベナンツ）……112
精査 ……………………………120

生産者物価指数［米国］……………50
税引前利益 ………………………149
政府保証債………………………60
セカンダリー市場（流通市場）……5
先行条件（前提条件）……………112
選定（スクリーニング）…………120
前提条件（先行条件）……………112
前場 ………………………………137
全米供給管理協会指数 ………48, 50
戦略的M&A ……………………118
（相場の）上昇 ……………………12
訴訟 ………………………………156
組成委任（マンデート）…………73
ソブリン・シーリング……………82
損益計算書…………………15, 149

【タ行】

貸借対照表…………………15, 149
Tibor（東京銀行間貸し手金利）………89
ダウ（工業株30種）平均…………41
タックス・ヘイブン ………………11
短期 …………………………………4
短期金融市場（マネー・マーケット）…4
短期金利……………………………67
短期プライムレート………………71
単独主幹事…………………………74
担保 ………………………………153
地方債………………………………60
中間配当……………………………36
調印（サイニング）………………75
長期 …………………………………4
長期金利……………………………67
長期プライムレート………………71
強気（ブル）………………………21
提示価格……………………………20
デット・ファイナンス……………16
デフレ………………………………28
デュレーション……………………64

電信売相場…………………………95
電信買相場…………………………95
ドイツ国債…………………………61
投機的格付け………………………82
東京銀行間貸し手金利（Tibor）…89
東京証券取引所 ……………………3
統計 ………………………………139
投資家………………………………10
投資家需要…………………………12
投資家向け説明会（ロードショー）
 …………………………………18, 74
投資銀行業務………………………20
（投資玉の）入れ替え ……………10
投資適格格付け……………………82
東証株価指数（TOPIX）…………41
毒薬条項…………………………119

【ナ行】

ナスダック市場 ……………………2
ナスダック総合株価指数…………41
日経平均株価………………………41
ニッチ………………………………21
日本銀行……………………………24
日本国債……………………………61
入札…………………………………65
ニューヨーク証券取引所 …………2
値上がり……………………………99
値上がり株…………………………42
ネガティブ・プレッジ（不担保約款）
 ………………………………………113
値下がり……………………………99
値下がり株…………………………42
値づけ………………………………20
年次報告書（アニュアルレポート）
 …………………………………15, 152
ノッチ（1段階）…………………85

【ハ行】

買収会社 ……………………………121
配当 …………………………10, 33
売買代金 ……………………………43
売買高 ………………………………43
破産 …………………………………157
発行価格 ……………………………153
発行体 ………………………………20
発行市場（プライマリー市場）………5
発行済み株数 ………………………150
発行総額 ……………………………153
発行体（ボロワー）………………15, 20
バブルの崩壊 ………………………138
払込み ………………………………75
パリパス条項 ………………………113
販売費及び一般管理費 ……………149
引受け ……………………………20, 73
ビック・ボード
　［ニューヨーク証券取引所の愛称］……2
ビッド価格（買値）…………………20
1株あたり利益 ……………………39
非農業雇用者数［米国］……………50
ファンダメンタルズ（経済の基礎的条件）
　……………………………………12, 97
ファンドマネージャー（運用責任者）12
Fed（連邦準備制度）………………24
フェデラル・ファンド・レート ……27
節目 …………………………………7
不担保約款（ネガティブ・プレッジ）
　……………………………………113
普通株 ………………………………33
プライシング（価格決定）…………74
プライマリー市場（発行市場）………5
ブル（強気）…………………………21
分散投資 ……………………………12
ベア（弱気）…………………………21
米国債 ………………………………61

ベーシス・ポイント ………………27
ベスト・エフォート ………………74
返済方法 ……………………………153
(為替相場などの) 変動 ……………96
変動利付債 …………………………75
法人（ホールセール）………………20
墓石広告 ……………………………111
ポートフォリオ ……………………10
保有株 ………………………………54
ボロワー（発行体）………………15, 20

【マ行】

マーケットの混乱 …………………134
マザーズ ……………………………55
マネーサプライ ……………………24
マネジメント・バイアウト ………119
マネー・マーケット（短期金融市場）…4
満期日 ………………………………153
マンデート（組成委任）……………73
未公開企業 …………………………52
見通し ………………………………82
持株 …………………………………54
目論見書 ……………………………74

【ヤ行】

融資団組成 …………………………110
融資枠 ………………………………114
優先株 ………………………………33
Euribor（欧州銀行間貸し手金利）……89
ユーロ（欧州統一通貨）…………96, 101
ユーロ・カレンシー ………………7
（ユーロ参加の際の）収斂基準 ……102
ユーロ市場 …………………………124
ユーロ通貨圏 ………………………98
ユーロボンド市場 …………………3
弱気（ベア）…………………………21

【ラ行】

Libor（ロンドン銀行間貸し手金利）…89
利益剰余金 …………………………149
利益配当請求権………………………33
リーグ・テーブル……………………21
リスク回避……………………………13
リターン（利回り）………………11, 12
利付債…………………………………61
利回り曲線（イールド・カーブ）…68
利回り向上……………………………14
流通市場（セカンダリー市場）………5
流動資産 ……………………………149
流動性……………………………………5
流動負債 ……………………………149

レバレッジド・バイアウト …………118
連邦公開市場委員会 ……………27, 30
連邦準備銀行……………………………30
連邦準備制度（Fed）…………………24
連邦準備制度理事会……………………29
ロードショー（投資家向け説明会）
　　　……………………………18, 74
ローンチ………………………………74
ロンドン銀行間貸し手金利（Libor）…89
ロンドン証券取引所……………………3

【ワ行】

割当額……………………………75, 111
割引債……………………………………61
割引窓口…………………………………26

英文索引

【A】

accommodative monetary policy ···25
accounts payable ···149
accounts receivable ···149
acquirer ···121
advancers ···42
afternoon session ···137
all-in-cost ···74
allocation ···111
allotment ···75
all-time high ···50
analyst ···12
annual report ···15, 152
appreciation ···99
asset allocation ···12
auction ···65

【B】

balance of payments ···97
balance sheet (B/S) ···15, 149
bank debenture ···61
bankruptcy ···157
basis point (bp) ···27
BBA (British Bankers' Association) 89
bear ···21
beauty contest ···73
benchmark ···19
best effort ···74
bid ···20
Big Board ···2
bilateral loan ···110
BoE (Bank of England) ···24
BoJ (Bank of Japan) ···24
bond markets ···3
bookbuilding ···54

borrower ···15, 20
bp (basis point) ···27
British Bankers' Association (BBA) 89
B/S (balance sheet) ···15, 149
bull ···21
Bunds ···61
burst of the bubble ···138
business days ···157

【C】

capital ···4, 149
capital gain ···11
capital loss ···11
capital markets ···4
capital raising ···5
capital surplus ···149
cash flow statement ···15
City of London ···3
closing ···75
collateral ···153
commercial banking ···20
commitment ···111, 115
common shares ···33
common stocks ···33
company register ···155
condition precedent ···112
confidentiality agreement ···120
consumer price index (CPI) ···51
convergence criteria ···102
corporate bonds ···61
corporate earnings ···142
corporate governance ···138
corporate raider ···118
corporate reorganization ···157
corporate results ···142
coupon ···10

covenants	112
CPI (consumer price index)	51
credibility	127
credit risk	11
creditor	32
creditworthiness	141
critical mass	21
cross-default clause	113
current assets	149
current liabilities	149

【D】

debt finance	16
debtor	32
debut issue	19
decliners	42
default risk	86
deflation	28
demand	38
depreciation	99
deregulation	128
dilution	16
disclosure	15
discount bonds	61
Discount Window	26
diversification	12
dividend	10, 33
dividend right	33
DJIA(Dow Jones Industrials Average)	41
domestic markets	126
downgrade	82
drawdown date	154
due diligence	120
duration	64

【E】

earnings per share (EPS)	39
easy monetary policy	25
ECB (European Central Bank)	24, 102, 103
economic growth	139
economics	78
economies of scale	22
employment & unemployment statistics	50
EMU (Economic and Monetary Union)	101
EPS (earnings per share)	39
equity finance	16
ESCB (European System of Central Banks)	103
EU (European Union)	101
Euribor (Euro Inter-Bank Offered Rate)	89
euro	96, 101
Eurobond markets	3
Eurocurrency	7
Euromarket	124
Eurosystem	103
eurozone	98
events of default	113
exposure	14
external debt	4

【F】

facility	114
Fed (Federal Reserve System)	24
Federal Funds rate (FF rate)	27
Federal Open Market Committee (FOMC)	27
Federal Reserve Bank (FRB)	30
final dividend	36
financial accounts	15
financial institution	20
financial M&A	118

financial statements ·············15
financial year ················15
fiscal policy ················24
fiscal year ···················15
fiscal year end ···············15
fixed assets·················149
flattening ···················69
flight to quality ··············11
flotation ····················54
fluctuation ··················96
FOMC (Federal Open Market Committee) ···················27, 30
foreign exchange markets (forex markets) ···············4
foreign exchange reserves ········97
foreign exchange risk ···········12
forward ····················96
FRB (Federal Reserve Bank)········29
frequent borrower ·············19
frequent issuer ···············19
FRN (floating rate note) ········75
FTSE 100 index ················41
fundamentals ··············12, 97
fund manager ·················12

【G】

gainers ····················42
general factors················38
general syndication ············110
Gilts ·····················61
globalization/〈英〉 globalisation ···129
going private ·················56
going public ··················54
golden parachute ·············119
governing law ···············153
government bonds ·············60
government guaranteed bonds ······60
gross profit ·················149

【H】

holding ····················54

【I】

IBRD (International Bank for Reconstruction and Development) ······127
IFC (International Finance Corporation) ·····················127
inaugural issue ···············19
income before tax·············149
income gain ·················10
income statement ··········15, 149
individual factors··············38
inflation ···················24
inflow ····················10
information memorandum ·········111
institutional investors············10
interest-bearing bonds ············61
interest rate risk ··············12
interim dividend ···············36
international markets ···········129
intervention ·················97
inverted yield ·················68
investment banking ·············20
investment grade ···············82
investor appetite ···············12
investor demand ···············12
investors ···················10
invitation telex ···············110
IPO (initial public offering) ···52, 54, 56
IPO price ···················54
IR (investor relations) ········16, 52
IR meeting ··················15
ISM (Insitutute of Supply Management) ··················48, 50
issue amount ················153
issue price ·················153

issuer ···20

【J】

JGBs
　（Japanese Government Bonds）···61
jobless claims ······························50
jurisdiction ·································153

【L】

landmark ··7
launch ·····························56, 74, 110
LBO（leveraged buyout）············118
league table ··································21
lender···26
lender of last resort ····················30
letter of intent ···························120
liberalization／〈英〉liberalisation ···128
Libor（London Inter-Bank Offered
　Rate）···89
liquidity ··5
listing requirements ····················54
litigation ····································156
long（position）····························98
long end of the curve ·················71
long-term·······································4
long-term interest rate ···············67
long-term liabilities ···················149
losers ···42
LSE（London Stock Exchange）······3
LTPR（long-term prime rate）········71

【M】

M&A（mergers & acquisitions）···118
major holders·····························150
management buyout（MBO）·····119
management strategy ················150
mandate··73
mark ··6

market capitalization ····················2
market making ·····························20
market sentiment ·························46
market turmoil ···························134
material adverse change ·······84, 112
maturity date ······················32, 153
MBO（management buyout）······119
mergers & acquisitions（M&A）···118
major holders·····························150
merit of scale ·······························22
MoF（Ministry of Finance）···········60
momentum ···································49
monetary easing ··························25
monetary policy ···························24
monetary tightening ···················25
money markets ······························4
money supply ·······························24
morning session ························137
Mothers···56
municipal bonds ··························60

【N】

Nasdaq
　（National Association of Securities
　Dealers Automated Quotation）···2
Nasdaq Composite Index···············41
negative pledge ·························113
negative yield ······························68
net income ·································149
niche ··21
Nikkei（225）·······························41
non-farm payrolls ·······················50
non-investment grade ·················82
notch ··85
NYSE
　（New York Stock Exchange）······2

●170

[O]

offer ··········· 20
offer price ··········· 54
offering circular ··········· 74
offshore markets ··········· 3
one-on-one meeting ··········· 18
onshore markets ··········· 7
open market operations ··········· 25
operating expenses ··········· 149
operating income ··········· 149
ordinary shares ··········· 33
ordinary stocks ··········· 33
outflow ··········· 10
outlook ··········· 82

[P]

Pari Passu clause ··········· 113
participation ··········· 111
PER (price earnings ratio) ··········· 39
P&L, P/L (profit and loss statement)
··········· 15, 149
poison pill ··········· 119
portfolio ··········· 10
positive yield ··········· 68
PPI (producer price index) ··········· 50
preemptive right ··········· 33
preference stocks ··········· 33
preferred stocks ··········· 33
prepayment ··········· 154
pricing ··········· 74
primary markets ··········· 5
principal ··········· 32, 60
private company ··········· 52
prospectus ··········· 74
public company ··········· 57
public offering ··········· 34, 54
public spending ··········· 24

[Q]

quotation ··········· 20

[R]

rally ··········· 12
rating ··········· 81
rationale ··········· 56
recurring profit ··········· 149
redemption ··········· 60
redemption method ··········· 153
representations and warranties ··········· 112
reserve ratios ··········· 25
reserve requirements ··········· 25
residual claim ··········· 33
restructuring ··········· 118
retail ··········· 20
retail investors ··········· 10
retail sales ··········· 51
retained earnings ··········· 149
return ··········· 11
rights issue ··········· 34
risk aversion ··········· 13
roadshow ··········· 18, 74
ROE (return on equity) ··········· 40

[S]

S&P 500 ··········· 41
safe haven ··········· 11
sale ··········· 54, 149
screening ··········· 120
secondary markets ··········· 5
securities markets ··········· 4
security ··········· 153
share ··········· 32
shareholder ··········· 32
shareholders' equity ··········· 149
shares issued ··········· 150

short (position) ……………………98
short end of the curve ……………71
shortlist ……………………………116
short-term …………………………4
short-term interest rate……………67
short-term prime rate ……………71
signing ……………………………75
single currency ……………………96
sole-lead……………………………74
sovereign…………………………125
sovereign ceiling……………………82
speculative grade …………………82
spot …………………………………96
spread ………………………………74
Stability and Growth Pact ………104
stable shareholders ………………56
stake ………………………………54
statistics …………………………139
steepening …………………………69
stock ………………………………32
stock exchanges ……………………2
stockholder ………………………32
strategic M&A ……………………118
strategist …………………………12
subscription price …………………54
supply………………………………38
supranational ……………………125
switch ………………………………10
syndicated loan …………………110
syndication …………………………74

【T】

takeover bid (TOB) ……………119
tax haven …………………………11
telegraphic transfer buying rate (TTB)
 ……………………………………95
telegraphic transfer selling rate (TTS)
 ……………………………………95

Tibor (Tokyo Inter-Bank Offered
 Rate) ……………………………89
tight monetary policy ……………25
TOB (takeover bid) ……………119
Tokyo Stock Exchange (TSE) ………3
tombstone ………………………111
TOPIX ……………………………41
trading volume ……………………43
Treasuries…………………………61
TSE (Tokyo Stock Exchange) ………3
TTB (telegraphic transfer buying rate)
 ……………………………………95
TTS (telegraphic transfer selling rate)
 ……………………………………95
turnover……………………………43, 149

【U】

undertaking ……………………112
underwriting ……………………20, 73
upgrade ……………………………82

【V】

valuation …………………………120
vicious circle ……………………133
voting right ………………………33

【W】

Wall Street ………………………42
Watchlist …………………………82
wholesale …………………………20
windows of opportunity……………34

【Y】

yield ………………………………11
yield curve ………………………68
yield enhancement ………………14
yield pick-up………………………14

【Z】

zero-coupon bonds ………………61

著者紹介

1959年生まれ．東京都出身．上智大学外国語学部ドイツ語学科卒．在学中ドイツ・ルール大学に公費留学（言語学専攻）．旧第一勧業銀行入行後、証券部付、ドイツ・フランクフルト事務所首席駐在員等を経て、現在 Mizuho International plc（ロンドン証券現地法人）の Executive Director．入行以来、一貫してコーポレート・ファイナンス関連業務に従事．海外勤務歴13年、仕事上の訪問国は30カ国．
ケンブリッジ大学英検最上級（CPE）及び同大学ビジネス英検最上級（BEC Higher）保有．

金融英語入門
2004年7月15日 発行

		著　者　柴田真一
	〒103-8345	発行者　高橋　宏
発行所	東京都中央区日本橋本石町1-2-1	東洋経済新報社
	電話 編集03(3246)5661・販売03(3246)5467 振替00130-5-6518	
		印刷・製本　丸井工文社

本書の全部または一部の複写・複製・転載および磁気または光記録媒体への入力等を禁じます．これらの許諾については小社までご照会ください．
Ⓒ 2004〈検印省略〉落丁・乱丁本はお取替えいたします．
Printed in Japan　　ISBN 4-492-65341-4　　http://www.toyokeizai.co.jp/